DE BATTRE LA CHAMADE

Née en 1980, la Bretonne Sophie Tal Men est neurologue à Lorient.

Paru au Livre de Poche :

ENTRE MES DOIGTS COULE LE SABLE

LES YEUX COULEUR DE PLUIE

SOPHIE TAL MEN

De battre la chamade

ROMAN

ALBIN MICHEL

© Éditions Albin Michel, 2018.
ISBN : 978-2-253-23790-7 – 1re publication LGF

À tous les soignants de mon service.
À ceux d'ici et d'ailleurs.
À cette belle et grande famille, qui soigne, qui panse,
qui écoute, qui soulage.
À cette médecine bienveillante et empathique
à laquelle je crois.

« J'aime comprendre le fonctionnement des neurones,
Qu'il s'agisse de ceux des méduses ou des hommes. »

Oliver Sacks

1

Face Time

Marie-Lou

- ✓ *Temps écoulé depuis le départ de Matthieu : 22 heures. Dans ma tête ? Une éternité.*
- ✓ *Nombre de fois où j'ai regardé les infos pour balayer de mon esprit les crashs-attentats-cyclones : 10. Où je me suis trouvée ridicule ? 10. Triste estime de soi.*
- ✓ *Temps passé à faire mes valises : 15 minutes. Envie de tout laisser = pas bien sûre de vouloir partir.*

— Écume ! Rends-moi ça, rends-moi ça, je te dis…

Les jambes élancées d'Anna bondissent derrière le gros labrador. Ce filou vient d'emporter mon pull préféré entre ses dents. Il préfère disperser mes habits aux quatre coins de l'appartement plutôt que de les voir s'entasser dans ma valise. Réaction primaire et non productive, certes, mais pour un chien, je trouve ça plutôt évolué et amusant. Surtout quand Anna hurle à la mort en essayant de m'aider.

— Marie-Lou, dis à ton chien d'arrêter, gémit-elle. Le nouveau colocataire doit arriver d'une minute à l'autre et…

— D'abord ce n'est pas MON chien, je te rappelle… Et… comment ça, le nouveau colocataire ? C'est un homme qui me remplace ? *Un sourire espiègle illumine son visage.* Et Bruno ? Il est au courant ?

— J'ai besoin d'un peu de distraction. La monogamie, ça n'a jamais été mon truc. Depuis que sa femme l'a quitté, il est devenu un peu trop collant celui-là. Non vraiment, il me faut un nouvel homme dans ma vie et j'attends beaucoup de lui ! J'espère qu'il va être à la hauteur !

— Sait-il au moins à qui il a affaire ? Tu es sûre que je dois libérer ma chambre ?

Elle hausse les épaules.

— Bah, sur l'annonce, j'ai parlé de colocation. Cela sous-entend chambre à part…

— Tu n'as pas précisé : « et plus si affinités » ?

Elle éclate de rire et reprend sa course. Je la retrouve quelques minutes plus tard sous la table du séjour, à cheval sur le fauve qu'elle vient d'immobiliser. Celui qui – comme moi – n'est pas décidé à partir.

Rien de tel qu'une bonne gamelle remplie de croquettes pour faire diversion. Mes bagages sont fin prêts, et je regarde ma chambre vide avec une pointe de nostalgie. En ce premier novembre, elle est telle qu'elle m'est apparue la première fois. Rangée. Vierge. Ne demandant qu'à être investie et personnalisée. Bref, tout comme moi quand j'ai débarqué à Brest il y a un an, jour pour jour. Un vague sourire se dessine sur mes lèvres. Cela me paraît si loin.

Je me sens différente aujourd'hui. Plus sûre de moi, plus femme, plus indépendante. C'est dans cet état d'esprit que j'entame cette deuxième année d'internat de neurologie. Avec l'idée que rien ne pourra me faire chavirer désormais. Mon ancre est ici. Loin de mes montagnes. Sur ce rocher face à l'océan Atlantique.

Par un mélange de rencontres et d'expériences, ce n'est pas un an de maturité que j'ai gagné mais bien plus. Le contact avec les malades, les nouvelles responsabilités, Matthieu qui gravite autour de moi depuis le début. Un satellite dont la trajectoire est parfois chaotique et difficile à suivre mais qui fait corps avec moi. Par je ne sais quelle attraction primitive ou animale. N'est-ce pas ce qu'on appelle le cerveau reptilien ? Rien ne sert de lutter. Parti depuis quelques heures, et déjà le manque. Une pression sur le diaphragme qui me coupe la respiration. Une pensée lancinante qui m'assombrit l'esprit. Suis-je vraiment si indépendante ? Nouveau sourire triste. Qu'a-t-il fait de moi ? Comment l'attendre s'il ne me donne aucune date de retour ? Avait-il vraiment peur que je m'ennuie quand il m'a laissé son chien survolté, voleur de pulls, et sa pétillante cousine ?

Anna. Je l'entends qui approche.

— À quoi penses-tu ? susurre-t-elle en posant sa main sur mon épaule. Si tu veux, je te la réserve dans six mois, ta chambre… T'es triste ? Tu vas voir, il y a une ambiance géniale à l'internat de Quimper… Tu seras avec Farah et Bertrand en plus. *Nouvelle pression sur le diaphragme.* Allez, ma belle… Matthieu va vite t'y retrouver… C'est l'histoire de quelques semaines. Ma main à couper qu'il ne va pas y rester longtemps, à la Réunion ! Son père, il va le ramener dare-dare en métropole. Je commence à le connaître, le cousin. Comment veux-tu qu'il reste un long moment loin de toi ?

Je lève les yeux au ciel devant ses belles paroles, quand tout à coup la sonnerie de mon téléphone me redonne un peu d'espoir.

— Quand on parle du loup !

Je cours vers l'entrée comme une dératée et fouille dans la poche de ma veste accrochée au portemanteau. La belle gueule du loup s'affiche sur l'écran. Celle que je m'empresse de caresser avec le pouce pour décrocher. La connexion met quelques secondes à s'établir, juste le temps de prévenir Anna.

— C'est Matthieu… En Face Time.

— C'est pas vrai ? En plus du son, tu vas avoir l'image, ironise-t-elle.

Les oreilles d'Écume se mettent au garde-à-vous, quand la voix grave de son maître retentit dans le hall d'entrée.

— Tu me vois ? Attends, tu me vois là ?

Une vague de frissons me traverse le corps.

— Euh… non…

Voilà une magnifique vue plongeante sur ses orteils en équilibre sur des galets.

— Ah, j'ai oublié d'activer la caméra avant ! Attends… Et là ?

— Ça y est !

Je suis moi-même surprise par le cri aigu qui vient de sortir de ma bouche. Matthieu me sourit d'un air

14

victorieux. Ses lèvres charnues occupent tout l'écran et je me garde bien de le lui dire. Je voudrais qu'elles bondissent hors de l'image pour pouvoir les embrasser. Les ondes sont-elles capables de les propulser pardelà l'équateur ? Il recule en m'adressant un sourire en coin fugace. Qu'il est beau ! J'avais oublié à quel point. Ses mèches dorées qui lui balayent le front. Cet éclat brut et insolent dans les yeux. Un bandeau de ciel bleu se dessine au-dessus de sa tête et en arrière-plan, on distingue les pentes vertes et luisantes des montagnes.

— Je t'appelle maintenant car en haut, je ne suis pas sûr de capter…

— En haut ?

Il semble ébloui et cligne des paupières. Et si c'était moi qui lui faisais cet effet-là ?

— … du cirque de Mafate. Tu te souviens de la lettre de mon père ?

— Comment l'oublier ? Montre-moi ! Fais-moi rêver un peu. Moi qui suis dans mes cartons de déménagement…

— C'est vrai… Tu quittes Brest, dit-il d'un ton grave. Tu m'appelleras quand tu seras arrivée à Quimper ?

— Tu viens de dire que tu ne capteras plus.

— Pas faux… *Une lueur d'inquiétude passe sur son visage.* Si tu veux tout savoir, là je suis en train de longer la rivière des Galets.

— Pieds nus ?

— Bon, je ne suis pas le mieux équipé du monde, j'avoue… Les tongs, ça glisse !

J'éclate de rire.

— Et tu comptes randonner sans chaussures ? Ça grimpe, non ?

— Apparemment... Regarde les montagnes !

En guise de paysage, c'est son oreille qui apparaît sur l'écran. *Le Face Time n'est décidément pas à la portée de tout le monde !*

— Jolie, ton oreille... *Il rectifie le tir.* C'est grandiose ! Et ton père ? Comment vas-tu le retrouver ? Aïe...

— Qu'est-ce que tu as ?

— Rien... Ton chien vient juste de m'écraser les pieds. Il trépigne depuis qu'il a entendu le son de ta voix... Regarde par toi-même. *Il plisse les yeux d'un air attendri. Écume pousse un long gémissement dans sa direction.* Et Anna aussi est prête à me grimper dessus pour t'apercevoir.

La grande brune lui tire la langue par-dessus mon épaule avant de lui demander :

— Bon, tu n'as pas répondu... Comment vas-tu faire pour le localiser ? N'est-ce pas comme chercher une aiguille dans une botte de foin ?

— Faut croire que l'aiguille est plus grosse qu'elle n'y paraît... À l'aéroport, j'ai passé quelques coups de fil aux différents gardiens de gîtes et ils m'ont tous parlé de lui...

— C'est vrai ?

— Le Doc', ils l'appellent. Visiblement, on ne passe pas inaperçu quand on décide de venir s'installer en tant que médecin généraliste dans ce trou perdu.

— Tu m'étonnes ! s'esclaffe Anna. Passe-lui le bonjour de ma part.

Elle s'apprête à nous laisser en tête à tête, ou

devrais-je dire « en tête à téléphone », quand la sonnette de la porte d'entrée résonne dans le hall.

— Ça doit être le nouveau colocataire. *Matthieu fronce les sourcils.* Anna avait peur de s'ennuyer sans moi et a remis une annonce sur le site de la fac… Attends, ne quitte pas, dis-je en ouvrant la porte.

Et là, pendant une fraction de seconde, je me demande si je ne suis pas en train de rêver. Une autre belle gueule de loup me fait face. En chair et en os. Plus exotique et inattendue. Celle-là même qui m'avait fait ses adieux il y a six mois, que je croyais ne plus jamais revoir.

— Eduardo ?

Matthieu et moi avons crié à l'unisson pendant qu'Anna, elle, se mord les lèvres.

— Qu'est-ce que… qu'est-ce que tu fais là ?

Le sourire radieux du bel Argentin m'indique qu'il est ravi de son effet de surprise. Il me saute dans les bras, j'en fais tomber mon téléphone.

— C'est quoi, ce bordel ? Marie-Lou ? Marie-Lou ? hurle Matthieu sur le parquet. Fin du signal.

2

Le bagne de Cayenne

Matthieu

Calmer ses ardeurs.

Je voudrais calmer ses ardeurs de Latin en rut, mais me voilà réduit à devoir calmer les miennes ! C'est un comble.

Courir. Pour ne pas exploser. Oublier le regard d'Eduardo, avide et affamé. Son faux sourire affable de neurochirurgien. Retenir mon portable pour qu'il ne termine pas au fond de la rivière. Ne pouvait-il pas rester en Argentine, celui-là ? Si seulement je pouvais lui rappeler les bonnes manières. Qu'en France, on ne saute pas sur une fille pour la saluer. Même si on ne l'a pas vue depuis six mois. Non. On lui claque la bise dans le vide – deux fois en commençant par la joue droite – voire on lui serre la main. Oui, on lui serre la main !

Courir, courir pour me calmer. Je laisse le cours d'eau derrière moi et m'enfonce dans la végétation. Persévérant, le garçon ! Faute d'avoir mis Marie-Lou dans son lit une première fois, il décide de squatter le sien. Persévérant et malin ! J'emprunte le sentier qui grimpe à flanc de montagne sans trop réfléchir aux différentes alternatives. Une pancarte en bois indique l'îlet Grand-Place. Ce nom me rappelle vaguement quelque chose, et je fonce. Tête baissée. Pour ne pas trébucher sur les racines qui jalonnent le sentier. Sacrée Anna ! Elle va m'entendre, elle aussi. Quelle traîtresse ! De quel droit a-t-elle accepté cette colocation sans m'en parler ? Comme si cet appartement était le sien. C'est un scandale. Elle ne perd rien pour attendre.

Un jour. Je suis parti depuis UN seul jour, et cela me démange déjà de rentrer. Chaque virage me pousse à faire demi-tour, alors que mon corps continue d'avancer. Totale contradiction qui commence à me rendre fou. C'est d'ailleurs l'image que me renvoient les yeux effrayés des randonneurs que je croise. Ceux qui sursautent quand mon souffle bruyant de bête sauvage surgit derrière eux.

Zéro signal. Les briques se sont effacées une à une à l'angle gauche de mon portable pour me couper du monde. Moi qui me demandais pourquoi mon père ne donnait plus aucune nouvelle depuis trois ans. J'ai ma réponse.

Le Doc', je n'y pensais même plus. Il faut vraiment que je passe mes nerfs avant de le retrouver, sinon je vais lui aboyer dessus d'entrée de jeu, et il ne va pas comprendre ce qui lui arrive. J'ai beau transpirer comme un bœuf, les endorphines n'ont aucun effet sur moi. Alors j'augmente la cadence – à en perdre haleine – tout en recroquevillant mes orteils sur mes tongs pour éviter qu'elles ne volent.

Quelques cases en bardeaux de couleurs vives se dessinent à travers les feuilles. Cayenne. C'est le nom du gîte – ou devrais-je dire du bagne – de mon père. Quel nom prédestiné ! Une prison dorée perdue au milieu des montagnes. Quelques secondes à lever le nez pour l'observer. Quelques secondes de trop. Mon pied vient percuter la canalisation qui court sur le sol, et je me retrouve propulsé dans un vol plané qui se termine face contre terre. Me voilà bien présentable, l'arcade sourcilière fendue en deux et le blanc de la rotule à l'air. Ce que ne manquent pas de confirmer les coups d'œil apeurés, quand j'arrive au gîte.

Deux nattes noires moins farouches que les autres s'agitent devant moi et viennent me barrer le passage.

— Hou là là, vous cherchez le Doc' ?

Cette petite curieuse semble bien décidée à me montrer le chemin sans même que j'aie besoin de le lui demander.

— Le portail bleu. À cent mètres sur la droite… *Elle trottine derrière moi tout en continuant son interrogatoire.* Z'êtes tout seul ? Z'allez dormir ici ? Z'avez de la chance que le Doc' soit là.

— En fait, c'était lui que je venais voir.

Ses épais sourcils se rejoignent, sur la défensive.

— K'ek vous lui voulez ?

— Eh bien, je suis… *Je ne peux m'empêcher de grimacer tellement cela me semble étrange de me définir ainsi.* Son… fils.

La fillette arrondit sa bouche en me détaillant de la tête aux pieds, puis repart en courant.

— Mman... Le zoreil, le zoreil... Mman... C'est le fils... Mman...

En m'arrêtant devant les quelques planches bleu clair faisant office de portail, je me rends compte que je ne me suis pas préparé. Tout est allé trop vite. L'aiguille dans la botte de foin – dont l'aura rayonne dans tout le cirque de Mafate – m'a été offerte sur un plateau, et je n'ose pas l'approcher. Que suis-je venu faire ici, après tout ? Et que dois-je attendre de lui ? Lui, le Doc' façon Robinson Crusoé. A-t-il envie de me recevoir ? Est-il vraiment prêt à voir ressurgir son passé ?

Trop tard pour faire demi-tour. Ce jardin à flanc de coteau avec une vue imprenable sur la rivière des Galets prend la forme d'une invitation. C'est à peine si on distingue le petit cabanon rose et bleu perdu au milieu de la végétation dont les couleurs pastel paraissent avoir été lavées par le soleil. Un hamac se balance un peu plus loin et attire mon attention. Trace d'une âme humaine dans ce décor majestueusement figé. Un éventail d'orteils dépasse de la toile et se découpe sur le ciel. À l'autre extrémité, la couverture usée d'un livre est encadrée par une tignasse épaisse et grisonnante. Je me fige. Le Doc' est bien là devant moi, en chair et en os. Et ma parole, en plein burn out !

Le doute grandit. Et s'il avait écrit cette lettre sur un coup de tête ? L'homme qui déversait ses remords et ses regrets. Celui qui m'appelait à l'aide en épanchant sa peine. Est-ce bien le même qui se prélasse en ce moment dans ce petit coin de paradis ? Je contourne les massifs d'agaves, quand une odeur de chanvre m'emplit les narines. Je finis par repérer les fameuses feuilles étoilées en bordure du jardin venant lécher le fond du hamac. Je crois que je ne suis pas au bout de mes surprises. Un Doc' fumeur de haschich ?

— Hum…

Pas très élégant comme manière de marquer ma présence, mais c'est venu comme ça. Ses yeux perçants surgissent au-dessus du livre et plongent dans les miens avec une expression de surprise mêlée de peur. S'ensuit un brusque essai de redressement, si subit et si gauche que la toile se vrille instantanément, éjectant son corps dans les plants de cannabis. Pas le moindre réflexe pour se réceptionner. Un plat, en bonne et due forme. Si bien qu'on se regarde tous les deux en grimaçant pendant plusieurs secondes sans rien se dire.

Je réitère un «hum» mal assuré. Seul et unique son primaire qui sort de ma bouche.

— Hum…, me répond-il en se relevant.

Ensuite, je ne maîtrise plus rien. Une masse rebondit contre moi aussi maladroitement qu'elle s'est écrasée sur le sol, puis vient me taper virilement sur l'épaule. Des rides rieuses apparaissent autour de sa bouche, suivies d'un sourire si large que ses yeux se réduisent à deux petites fentes.

— Bonjour, fiston.

3

Internat Story

Marie-Lou

✓ *Nombre de fois où j'ai essayé de rappeler Matthieu pour le rassurer : 10. Où il m'a répondu ? 0.*
✓ *Nombre de clins d'œil explicites d'Anna avant de partir : 8.*
✓ *Temps écoulé avant qu'Eduardo me laisse son numéro de portable : 20 secondes.*
✓ *Temps d'un trajet Brest-Quimper en voiture sans contretemps (embouteillage, pause-pipi, crevaison, panne d'essence) : 48 minutes. D'un trajet avec Écume comme passager ? 2 heures.*

Pourquoi ai-je l'impression d'être en plein jeu de mille bornes, ralentie par des cartes « limitation de vitesse » ? Ce labrador ne bronchait pas sur un bateau – même en pleine tempête – mais en voiture, c'est une tout autre histoire ! Il gémit sur le siège arrière, vomit à la première aire, continue sa plainte sur le siège passager jusqu'à ce que j'ouvre la fenêtre. Résultat des courses : je me retrouve avec les warnings sur la quatre-voies à cinquante kilomètres-heure avec une tête de chien qui dépasse, la truffe au vent.

Farah et Bertrand m'attendent tout sourire sur le perron de l'internat, comme s'ils me recevaient chez eux. À ceci près que leur nid douillet héberge une cinquantaine d'autres internes et que leur entrée prend l'aspect d'un hall de gare avec le va-et-vient incessant des valises et des cartons rafistolés. Chaque semestre, c'est le même rituel. Les médecins en herbe se croisent en se claquant la bise du « Tu vas où, toi ? » pour finir avec celle réconfortante du « Tu vas voir, il paraît que c'est un bon stage » ou « Le patron est un peu capricieux, mais tu vas apprendre plein de choses ». Mes deux hôtes, eux, ont choisi de rester dans leur appartement « king size » du dernier étage réservé aux couples d'internes. Ils m'ont prévenue :

— Pour les célibataires ou les relations compliquées comme la tienne, c'est la double peine : un studio miniature au premier étage !

Tant pis. Je n'ai même pas essayé de parlementer. Retrouver Farah, mon adorable co-interne de neurologie, allait de soi. Même si elle s'est montrée bien mystérieuse et réticente à me donner des détails sur le service.

— Tu verras… Au début, c'est assez déroutant.

Si elle savait. Suis-je encore capable d'être surprise ? Après un stage en psychiatrie avec un patron délicieusement excentrique, je me sens totalement blasée.

Ma future collègue a semblé pourtant convaincue du contraire.

— Cédric Breton fait partie de ces chefs qui te font repenser la médecine, ma chère… Il brouille les pistes. Tu risques d'être un peu dépaysée les premières semaines. Et après, tu ne pourras plus travailler ailleurs.

Je m'en suis contentée. Toujours faire confiance à Farah. Mot d'ordre depuis que je la connais. Bertrand l'a bien compris, lui aussi. En amoureux transi, il est prêt à mettre de côté sa spécialité de neurochirurgien et à rester encore six mois en O.R.L. Pas question de quitter sa perle rare aux origines syriennes. Celle qui retient le soleil dans ses grands yeux verts et qui a de l'exotisme dans la voix. Qui reste muette à me dévisager en me soulevant le menton du bout de son index. Sa façon de sonder mon âme. Dans quelles dispositions je m'installe à Quimper ? Je ne le sais pas moi-même. Ces dernières semaines ont été si éprouvantes. Mon agression par un de mes patients, la convalescence à Groix, le départ de Matthieu. J'aimerais lui dire que tout va bien. Mais tout est flou. Comme le brouillard de Brest. Un mode « pause » dans le cours de ma vie sans que je sache quand et comment il reprendra. Dans le triste sourire qui me fait miroir, je sais qu'on aura tout le temps d'en discuter.

Que le monde est petit chez les internes ! Les visages familiers défilent et me saluent au passage. L'un d'eux, rouleur de mécaniques, et chirurgien de son état, nous écarte sur son passage d'un air goguenard.

— Tiens, mon ficus… Si tu n'en veux pas, je le jette.

Je me retrouve – sans même avoir le temps de lui répondre – avec une plante dans les bras. Une plante ? Plutôt un tronc grêle et courbé d'où pendent trois feuilles jaunes survivantes.

— Une perfusion tous les matins, un peu de lumi-nothérapie, ajoute-t-il en me tournant le dos. Bref, trop compliqué pour moi.

— T'es juste bon à planter des clous et à visser des plaques, c'est ça ?

Il apprécie la repartie et lève son pouce dans ma direction en faisant vrombir le moteur de sa décapo-table. Devant les yeux ronds de Farah, j'aboie :

— Quoi ?

— Rien.

— L'effet Matthieu ? ose Bertrand.

Je lui réponds par un haussement d'épaules. Pour l'instant, l'effet Matthieu se matérialise par une grosse boule de poils collante qui vient de s'engouffrer entre nos jambes, attirée par les odeurs de jambon javel-lisé du réfectoire. Écume. Je l'avais presque oublié. Il manque de renverser les chaises avec sa queue musclée sous les cris suraigus d'une grande rousse perchée sur ses talons aiguilles. Une version sophistiquée et hau-taine de la tribu des internes.

— C'est à quiii, ce chien ?

Je rattrape le turbulent labrador par le collier, tout fier d'avoir eu le temps de croquer dans l'un des pains disposés sur les tables.

— Il est à moi… Enfin presque. *Les sourcils froncés de la diva font des va-et-vient entre mon ficus et mon chien.* Il est encore un peu pataud, mais il n'est pas méchant… Faut juste qu'il prenne ses marques.

— Ses marques ? Ne me dis pas qu'il va rester à l'internat !

À ce moment, j'aimerais que le bon gros toutou fasse profil bas, se tapisse sous les tables sans broncher, voire lui tende sa patte en signe de promesse de bien se tenir. Mais non, il se met à courser un gros chat noir en direction de la cuisine.

Bertrand éclate de rire, la diva blêmit et moi, je rame :

— Euh… Je n'ai pas d'autre solution pour le moment… Enfin, si ça ne pose de problème à personne.

— Il serait temps de le demander !

Bertrand finit par enfermer l'agitateur à double tour dans la salle télé. Ses gémissements nous parviennent jusqu'au premier étage. Pas question de le faire monter et qu'il se mette en tête de dormir avec moi. Un labrador dans un studio ? Même pas en rêve ! Une fois arrivés sur le pas de ma porte, un étrange effluve de vieilles chaussettes imbibées à la bière s'échappe de l'embrasure. Farah laisse échapper un « mince » sincère, Bertrand une « mauvaise pioche » amusée. Et comme une surprise n'arrive jamais seule, après l'odeur, il y a l'image. Une grosse pêche fendue prête à exploser dans le jean taille basse de l'individu accroupi devant nous.

— Ah… Tu es déjà là ! bredouille-t-il en se retournant. Tu me laisses encore cinq minutes ?

Sa valise bourrée à ras bord semble récalcitrante. J'examine la crasse qui recouvre les meubles, les draps chiffonnés dans le lit et les habits roulés en boules dans les placards. *Cinq minutes ?* Je fabrique de toutes pièces un sourire compatissant, lui tends ma plante lyophilisée – comme si c'était mon seul bagage – et rejoins le fauve qui s'est mis, entre-temps, à hurler à la mort. *Quel cauchemar ! Matthieu, je te revaudrai ça.*

Un attroupement s'est formé derrière la vitre du salon dont la clameur laisse présager l'accueil qu'ils vont me faire. Je reste coincée sur la première marche sans oser avancer, quand une des internes se détache du groupe et vient à ma rencontre. À son large sourire, mon sort n'est peut-être pas tout à fait réglé.

— Marie-Lou ? Moi, c'est Marie. Je viens d'avoir Anna au téléphone. Elle m'a dit de t'accueillir comme il se doit… *Ça pour un accueil, c'est un accueil ! À son sensuel rire de gorge, je réponds avec une moue d'excuse.* Alors comme ça, Matthieu Madec a un chien et une copine ?

— Merci pour l'association des deux…

— Ha ha ha… T'es drôle. Non, je veux dire, une officielle ! La délicatesse, ce n'est pas mon fort ! *Ce que ne manquent pas de confirmer Bertrand et Farah derrière moi.* Bon, libère le clebs, on va causer.

Comment aurais-je pu prévoir qu'après cette arrivée mouvementée, je me retrouve dans ce même salon devant le film du dimanche soir ?

Marie, la présidente de l'internat, a rectifié la situation avec un « poussez-vous, vous effrayez ce pauvre chien » ; et tout le monde s'est dispersé. Quand elle a ajouté : « Pas d'inquiétude, il ne va pas rester », je n'ai pas cherché à la contredire. Derrière son physique de danseuse étoile aux membres finement musclés et sa frimousse de petite fille modèle, se cachent une gouaille de bistrotière et un caractère de feu. Qu'elle soit amie avec Anna va de soi, qu'elle s'écharpe avec Matthieu depuis la faculté ne m'étonne pas non plus.

Me voilà donc installée au sein de ma nouvelle famille.

Écume, l'estomac plein, s'est enfin calmé et ronfle à mes pieds. Contrairement au chat, qui lui, ne décolle pas du haut de l'armoire, les poils dressés comme s'il venait de se prendre un coup de jus. Marie ne s'intéresse nullement au film et parle tout fort en dépit des soupirs autour d'elle. Qu'importe, c'est la présidente ! Elle me raconte la vie rythmée de l'internat et, dans l'obscurité, ne me voit pas pâlir au fur et à mesure.

— Dimanche : pizza devant l'écran… Mardi : badminton en club… Mercredi : cours de zumba… Jeudi : soirée à thème… Regroupement au petit déjeuner, débriefing le midi, présence des chefs autorisée, enfin ça dépend lesquels… Le soir, dîner tous ensemble. La kitchenette dans le studio ? Pour décorer uniquement. Pas plus d'une lessive par semaine… Animaux interdits sauf exception… Attention à la « dame des cuisines » : une espionne de la direction, à l'urgentiste intérimaire qui squatte la chambre de garde et saute sur tout ce qui bouge, à la porte des toilettes derrière laquelle tu peux rester enfermée pendant des heures !

— Et… elles sont où, les caméras ?

La bavarde arrête net sa tirade, feignant de ne pas comprendre. Je m'explique :

— C'est un jeu de téléréalité, c'est ça ? Une sorte « d'Internat Story » ?

Son éclat de rire rauque provoque une nouvelle

série de « chuuut » excédés. Ce qui la pousse à rire encore plus fort.

— Tout à fait ! Tu ne crois pas si bien dire. Il y a deux options. Soit on finit tous par se taper dessus, soit on copule à longueur de temps !

La grande rousse – qui a troqué ses stilettos pour des pantoufles en moumoute – tient en équilibre sur une chaise pour attraper son chat. Après son opération de sauvetage, ô combien périlleuse, elle nous fusille du regard. Moi et le fauve endormi.

Je repense alors à la dernière phrase de Marie. À la première option. Va-t-on vraiment finir par se taper dessus ?

Six mois. Je sens que je vais bien m'amuser… Ou pas.

4

L'homme qui mangeait du papier

Marie-Lou

✓ *Messages de Matthieu : 0. Nombre de fois où j'ai regardé : 62.*
✓ *Heures de sommeil, la nuit dernière : 2.*
✓ *Temps avant que je craque et fasse monter Écume dans le studio : 2 minutes. Je ne pouvais quand même pas le laisser japper toute la nuit dans la salle télé !*
✓ *Temps avant que je l'accepte dans mon lit : 1 heure. J'ai résisté ! Mais les coups de poing du voisin sur le mur m'ont forcé la main.*
✓ *Temps avant que je l'expulse du lit : 2 heures. Une éternité, vu son odeur de fauve et ses ronflements dans mes oreilles !*
✓ *Temps pour comprendre que j'avais fait une grosse erreur en le prenant dans le studio : toute la nuit.*

Mon court sommeil se poursuit, la tête penchée au-dessus de mes céréales. Pas envie de parler aux mangeurs de tartines trempées dans le café au lait, ni aux adeptes de galettes de riz bio zéro calorie, ni aux dévoreuses de crêpes au beurre. Pourquoi se sentent-ils tous obligés de faire la conversation au petit déjeuner ? Pourquoi ne prennent-ils pas exemple sur Marie, la présidente, en mode autiste, l'oreille collée à son poste de radio vintage ?

Je rêve encore de mon oreiller, quand Farah tire ma queue de cheval en arrière. Le fond de mon bol disparaît brutalement de mon champ de vision.

— Allez, active-toi… Faut qu'on passe à la lingerie chercher tes blouses.

Lingerie. Blouses. Boulot. Cédric Breton. Mince, pas question d'être en retard le premier jour. Je suis ma chef scout dans les sous-sols labyrinthiques de l'hôpital. Il fait sombre et froid. Un fenwick manque de nous renverser, exhalant une odeur de poubelle.

Fenwick. Matthieu. Tonus. Éméché, il avait conduit une de ces voiturettes au beau milieu de la nuit, déguisé en Jules César. Ça me fait sourire aujourd'hui. Aujourd'hui seulement.

— J'oublie toujours où c'est, soupire Farah devant moi. Attends, on n'est pas déjà passées par là ?

Quelques minutes plus tard, au détour d'un virage, les néons jaillissent de l'obscurité sur des montagnes de tissu blanc. Sauvées ! Les blanchisseuses, le compas dans l'œil, nous suggèrent une taille 38.

— Mais c'est dommage, il y a rupture de stock.

Quand elles nous tendent du 54 avec des taches de feutre au coin des poches, leur grand sourire me semble suspect.

— Désolée, vous allez devoir jouer aux fantômes quelques jours en attendant les suivantes !

Si ce n'est pas du bizutage, ça y ressemble étrangement !

Le docteur Breton, qui faisait le pied de grue à l'entrée du poste infirmier, voit donc arriver deux fantômettes bien réveillées et opérationnelles. Les mains jointes derrière son dos courbé, il nous gratifie d'un hochement de tête et nous présente ses cheveux blancs façon casque de Playmobil.

— Bonjour, dis-je timidement.

Là, il se met à nous tourner autour en bredouillant une bouillie incompréhensible.

— T'inquiète, il est stressé, tente de me rassurer Farah à l'oreille. Tous les lundis, c'est la même chose : il se met en tête qu'on ne viendra pas.

— Pourquoi ? Ça t'est déjà arrivé d'avoir une panne de réveil ?

— Non, jamais… Mais on ne le changera pas. Si tu dois bien retenir une chose pendant ton stage, c'est celle-là ! ajoute-t-elle avant de rompre l'incantation du grand chef.

— Cédric ! Arrête de tourner comme un vautour, tu fais peur à Marie-Lou…

Comme elle y va ! J'écarquille les yeux dans sa direction. Apparemment, ça le fait sourire son regard rieur accroche le mien pour la première fois et sonde ma réaction. Sa douceur me surprend.

— Bon, bon, venez avec moi, on va sauver des vies, bougonne-t-il avant d'arracher un coin de feuille et de le porter à sa bouche en le mâchant comme un chewing-gum.

Cédric Breton annonce la couleur. Même pas peur ! Il peut manger du papier. Même des fourchettes s'il veut… Ça ne m'impressionne pas le moins du monde !

Je suis docilement ses mains liées dans le creux de son dos pendant que Farah, elle, agrippe son chariot en me narguant d'un clin d'œil et commence sa visite dans la direction opposée. Bonjour la solidarité !

À chaque chambre, c'est le même rituel. Il inspecte le dossier dans le couloir tout en subtilisant au passage boulettes de coton ou autre substance à mastiquer. Puis, j'assiste dubitative au grattage délicat de la porte avec ses ongles en approchant l'oreille. Allez savoir pourquoi, à ce moment, je retiens ma respiration. Son entrée silencieuse, le cou rétracté, vaut le détour. Sa démarche est celle d'un marabout perché sur ses échasses. Quand le grand oiseau tourne lentement autour du lit, le suspense est haletant. C'est là qu'enfin… – enfin ! –, il daigne lever la tête. Ce même regard enveloppant et pétillant de malice. Et là, j'expire, soulagée. Je prends alors conscience de ce que représente « sauver des vies » pour Cédric Breton.

L'art d'ajuster le nombre de pots de confiture de pruneaux au transit de Mme Couffon, celui des compléments alimentaires à la courbe de poids de M. Le Duc, de vérifier la taille des bas de contention de M. Suply, de s'énerver sur la commande électrique défectueuse du lit de Mme Hénaff, sur les roulements grinçants du déambulateur de M. Le Dréau et l'accoudoir branlant de M. Kerjean. Bref, de ces petits riens qui font partie des soins et qui, mis bout à bout, apportent confort et satisfaction.

Et de la satisfaction, les patients du docteur Breton n'en manquent pas ! En attestent les résultats du questionnaire remis à la fin de leur séjour.

— Le service est le mieux noté de toute la région, s'enorgueillit-il.

« Un hôtel cinq étoiles, la neurologie à Quimper ? » ai-je envie de lui répondre. Mais je m'abstiens. C'est la seule phrase qu'il m'ait adressée de toute la visite, alors ce n'est pas la peine de le vexer. On ne l'apprivoise pas comme ça, le grand chef. Ses quelques œillades bienveillantes m'incitent à la patience.

Une fois notre plan de sauvetage terminé, il se déride un peu.

— Tu étais où au dernier semestre ?

— En psychiatrie…

Il manque d'avaler de travers son chewing-gum en papier et me regarde comme s'il venait d'être pris en flagrant délit. *En flagrant délit de quoi, d'ailleurs ?* Je lui souris.

— Pourquoi ?

— Pour rien.

En regardant cet étrange marabout s'en aller, j'en viens à me demander s'il n'y a pas un biais de sélection dans les études de médecine. Mais peut-être est-ce partout pareil. Hubert Tournos, mon chef de psychiatrie, le professeur Daguain en neurologie… Et maintenant, Cédric Breton. Autant de personnalités fortes et de comportements atypiques. Des tics, des tocs, des lubies, des goûts excentriques. Farah avait raison. La frontière entre le normal et le pathologique est bien mince quelquefois.

— Qu'est-ce qui te fait sourire comme ça ? me questionne-t-elle bien à propos, assise derrière son ordinateur. T'as vu, je ne t'avais pas menti. C'est un phénomène, hein ?

— J'avoue. Un phénomène mangeur de papier… Un peu anxieux, non ?

— Pas besoin d'être passée en psychiatrie pour s'en rendre compte au premier coup d'œil. Ici, c'est l'inverse des autres services. Les internes sont là pour rassurer leur chef. Sans nous, il ne laisserait jamais sortir ses patients.

— Oui, j'ai remarqué que certains étaient hospitalisés depuis un mois.

— Un mois ? Et encore ! T'es gentille… Regarde Mme Joseph.

Farah me désigne une petite dame marchant derrière son déambulateur dans le couloir. Ceinturée dans sa robe de chambre violette façon sablier, elle a bien du mal à suivre la cadence de son engin à quatre roues.

— C'est sa petite protégée du moment. Je m'en occupe depuis deux mois et je ne sais plus quoi lui dire. J'ai épuisé tous les sujets de conversation. Je peux même te dire le nom de son canari… Cédric trouve toujours une excuse pour ne pas la faire sortir. D'abord, il n'y avait pas assez d'aides à la maison, puis pas de kiné disponible à proximité. Maintenant, il exige que des travaux soient réalisés à son domicile. Alors, forcément, c'est long. Surtout qu'il en rajoute chaque semaine. Une barre de douche, un plan incliné sur les marches d'escaliers, une rampe le long de l'allée du jardin. Bientôt, il va vouloir lui repeindre toute sa maison !

— Et Mme Joseph ? Que dit-elle ?

— Elle est ravie. Tu penses… Personne ne s'était jamais occupé d'elle comme ça. Même pas ses propres enfants ! Par contre, c'est la cadre du service qui s'arrache les cheveux. Elle n'arrête pas d'être sur le dos de Cédric et le réprimande à tout va. « La D.M.S., docteur Breton ! La D.M.S. ! »

— La quoi ?

— La durée moyenne de séjour. Un de ces sigles barbares qui servent à faire des statistiques. On a le record national ! Une catastrophe pour l'administration de l'hôpital, une vraie fierté pour Cédric.

— Faut dire, il a le service le mieux noté de la région !

— Tu m'étonnes ! J'étais sûre qu'il le placerait dès la première visite. Mais attention, ma vieille, il s'attache aussi aux internes. Il faudrait calculer la D.M.I., la durée moyenne des internes dans le service. À la fin de mon stage, il m'a suppliée de rester. À déposer des Dragibus tous les jours sur mon bureau pour essayer de m'amadouer ! J'ai pris un kilo en une semaine jusqu'à ce que je lui dise d'arrêter de me gaver comme une oie. Que je restais.

Il va peut-être falloir que je réfléchisse à deux fois avant de l'apprivoiser alors.

Un vieil homme en pyjama entre dans le bureau, le visage figé. Il s'assoit entre nous et baisse la tête, comme s'il avait peur qu'on lui dise de partir. Son bracelet en plastique indique son nom et son prénom, informations auxquelles il n'a plus accès. Il se balance d'avant en arrière, les yeux dans le vide, en silence.

Je lui souris, sans réaction de sa part. Un mur invisible nous sépare.

Pas de doute. Me voilà de retour en neurologie.

5

Le Doc'

Matthieu

Le Doc' se met tout de suite en tête de me suturer.

Du pragmatisme et de l'action afin de ne surtout pas laisser libre cours à ses émotions. Éviter – ou remettre à plus tard – les questions ouvertes du style : « Comment ça va ? Parle-moi de toi. » Celles qui déstabilisent et renvoient au temps perdu. Celles que je redoutais qu'il me pose de but en blanc. Alors tout va bien.

Je me contente de ses phrases toutes faites de Doc' conseillé par le guide du Routard.

— Cette plaie doit être suturée. Trois points, peut-être quatre… Un Stéristrip aurait suffi pour celle-là ou de la colle biologique, mais…

— Mais… quoi ?

— Je n'en ai pas.

— Et tu proposes ?

— Un autre coup d'aiguille.

J'éclate de rire.

— À la guerre comme à la guerre, alors.

Expression tout à fait appropriée, vu l'état du kit à suture qu'il déniche au fond de son placard.

— Ta vaccination contre le tétanos est à jour au moins ?

— J'espère bien, dis-je en inspectant les aiguilles et le fil de nylon à la stérilisation plus que douteuse.

— T'inquiète… De toute façon, je brûle chaque aiguille au briquet quelques secondes avant de les utiliser.

— Ah… Me voilà rassuré alors. En plus de me trouer la peau, tu me la brûles… C'est parfait !

Je le fais sourire derrière sa barbe de baroudeur. S'il croit que je vais le laisser tenir l'aiguille ! C'est hors de question. Je préfère le faire moi-même – avec ou sans anesthésie.

La nuit est tombée d'un seul coup, noire et opaque, derrière les remparts abrupts du Maïdo. Je me retrouve attablé sous la tonnelle du gîte au milieu de joyeux randonneurs et je me demande vraiment ce que je fais là, même si l'ambiance – pimentée par la verve gouailleuse du propriétaire – est plutôt détendue et chaleureuse.

Mon père, installé à l'autre bout de la table, s'évertue à éviter tout tête-à-tête avec moi. Il a fait diversion tout l'après-midi en ne se préoccupant que de l'instant présent. Débordé, le Doc' ! Deux consultations en quatre heures. Une ampoule surinfectée et une douleur de jambe chez une des anciennes du village. Bref, de vraies urgences !

Ici, le temps s'est figé comme la lave des volcans. Il s'étire et prend ses aises. Impossible de refuser le petit verre de rhum arrangé qui agrémente chaque visite ou la part de gâteau à la patate douce. Sans compter les interruptions incessantes de la petite chipie à nattes qui lui voue une affection sans limites.

— J' peux t'emprunter une aiguille ? C'est pour M'man, elle veut recoud' mon pantalon et ne trouve pas les siennes. Merci Doc'… Euh, M'man demande si tu peux v'nir laver les oreilles de Pépé, ces jours-ci… Il est de plus en plus sourd… Doit avoir un bouchon, c' n'est pas possib'.

Quelle aubaine pour cet endroit reculé d'avoir trouvé – sans l'avoir demandé – un médecin, infirmier, dentiste, pharmacien, kinésithérapeute, assistant social, éducateur, conseiller fiscal et facteur à ses heures ! Il est arrivé un matin avec son baluchon en proposant ses services, et l'État s'est empressé de lui envoyer une indemnité d'exercice pour le pousser à rester. N'est-ce pas ce Doc' multifonction qui me jette des coups d'œil intrigués depuis tout à l'heure ? Comme s'il devait me voir et me revoir pour y croire. Je sais. Je fais la même chose.

Son visage a vieilli et s'est émacié. De fines ridules se sont creusées façon toile d'araignée autour de ses yeux. Eux, ils n'ont pas changé. Le petit éclat moqueur qui fait que rien n'est grave. Tout peut s'arranger. J'aimerais leur donner raison. Mais pour ça, j'ai besoin d'en savoir plus.

Il n'a pas évoqué la lettre une seule fois, et j'en viens à me demander si c'est bien lui qui l'a écrite. Ce Robinson ne donne pas vraiment l'impression de sur-vivre, ni d'être rongé par les remords. J'ai dû le fixer trop longtemps, voilà qu'il me sourit d'un air gêné en désignant la carafe en face de lui. Les épices du rougail saucisse commencent à me chauffer de l'intérieur, et les litres d'eau que je viens d'ingurgiter ne suffisent pas à étancher ma soif. Dur réveil pour mon estomac qui jeûnait depuis la sortie de l'avion. Je l'invite à se lever d'un signe de tête. Et si l'heure était venue de se parler ?

Les coussins disposés à même le sol de la terrasse feront un lit idéal. Dormir à la belle étoile. Quel luxe ! Surtout quand la nuit est épaisse et silencieuse, sans aucune pollution lumineuse ou sonore.

— C'est quoi, cette tisane ?

— Oh… Juste une infusion maison, marmonne mon père en me tendant une tasse fumante avec un air compatissant comme s'il me proposait un remontant.

L'odeur végétale qui s'en dégage ne m'est pas étrangère et mon impression se précise, quand j'aperçois les feuilles à peine pilées flotter à la surface.

— Mais c'est… du cannabis !

Il me sourit avec une fierté à peine dissimulée.

— Ici, on appelle ça du zamal. Ça va nous détendre, tu vas voir.

— Me détendre ? Parce que j'ai l'air stressé ? *Peut-il arrêter de me sourire bêtement ?* Tu pourrais me prévenir avant d'essayer de me droguer, merde ! Rappelle-moi, je ne suis pas sûr d'avoir bien compris… Tu es médecin, c'est ça ? Et c'est comme ça que tu détends tes patients ?

— Je me disais juste que ça nous aiderait à nous parler, s'excuse-t-il avec un mouvement de recul.

— N'importe quoi ! En fait, c'est toi qui en as besoin… Pas moi.

— Faut croire…, grommelle-t-il, les dents serrées.

— Eh bien, explose-toi la tronche tout seul… Quand tu seras au Nirvana et disposé à me parler, préviens-moi… Je t'écouterai… Je suis venu pour ça.

Il baisse la tête comme si c'était trop lui demander, puis part s'asseoir sur la dernière marche de la terrasse.

Pas la peine de faire sa tête de chien battu. Il ne fallait pas me chercher.

— Écoute, dis-je en baissant d'un ton. Tous les deux, on n'est pas très doués pour les longs discours. Alors je vais être bref, juste trois questions. Tu peux la boire cul sec, ta tisane, avant de me répondre, voire même manger les feuilles si tu veux. *Il me sourit tristement en haussant les épaules.* Pourquoi avoir attendu trois ans pour m'envoyer cette lettre ? Qu'attends-tu de moi ? Et dernière question – qui pourrait être aussi la première : pourquoi es-tu parti comme un voleur sans donner de nouvelles ? Tu parlais d'un jour où tout a basculé.

Cette fois, il ne peut pas me le sortir, son regard goguenard. Il ne peut pas. Un long silence s'installe, entrecoupé par le grésillement des insectes venant s'écraser contre l'ampoule brûlante suspendue au-dessus de nos têtes. Cela prendra toute la nuit s'il le faut, mais j'attends des réponses. Je replie le bras derrière ma tête et le regarde aspirer son breuvage fumant comme si c'était le dernier. Celui qu'il faut déguster jusqu'à la dernière goutte. Il n'y a plus rien de joyeux dans la silhouette qui me fait face. Cette tension hyperactive faussement positive qui m'avait tant surpris est en train de s'évanouir au fil des gorgées. En atteste la corde saillante de son sterno-cléido-mastoïdien qui cisaille son cou et qui s'efface progressivement avant de disparaître.

— J'ai mis longtemps à comprendre, soupire-t-il. Trop longtemps. C'était un soir comme celui-là, j'étais en train de boire cette infusion. Et tout à coup, j'ai eu cette vision : cet homme courbé au-dessus de sa tasse. Comme si j'étais devenu spectateur de moi-même… Je me suis demandé ce que je faisais seul au milieu de nulle part. Quel enchaînement de circonstances m'avait conduit ici. Quelles raisons m'avaient poussé à partir. Un sentiment très angoissant à la limite du tolérable s'est alors emparé de moi. J'ai d'abord cru à un « *bad trip* »…

— Ça y ressemble, le coupé-je sèchement.

Il tourne la tête. Ses yeux dilatés sont dirigés vers moi, mais semblent regarder dans le vide. Est-ce le noir de ses pupilles qui lui donne un air aussi sombre et triste ?

— J'avais beau tourner ces questions dans tous les sens, je ne trouvais aucune raison valable. Aucune… Ma présence ici était en fait un non-sens. J'étais en train de vivre à côté de ma propre vie… Alors je t'ai écrit.

— Si je comprends bien, cette lettre serait le fruit d'un délire sous l'emprise du cannabis… Super ! J'ai parcouru des milliers de kilomètres pour entendre ça ?

— Non… Chaque mot, chaque phrase me hante et vibre au fond de moi. Ne crois surtout pas le contraire. Je ne peux pas m'empêcher de m'en vouloir… Je n'avais pas le droit de… Tu t'inquiètes déjà assez pour ta mère.

Je me redresse, prêt à aboyer, il en fait de même en s'y reprenant plusieurs fois. On se retrouve face à face.

— Pas le droit de quoi, bordel ? Parce que – tout à coup – tu te sens concerné par ma mère peut-être ? Si tu oses me parler d'elle encore une fois, je… je…

Peut-il arrêter de courber la tête comme s'il avait envie que je le frappe ?

— Matthieu… Tu as tellement de rancœur en toi… que ça me paralyse, marmonne-t-il, la gorge nouée. Sache que je n'attends rien de toi, tu peux repartir tranquille. Je ne te ferai pas cet affront. *Il marque un silence en se mordant la lèvre.* C'est l'inverse, d'habitude… C'est au fils d'attendre quelque chose de son père. *J'ai l'impression qu'il ne tient plus sur ses jambes.* Et moi, je n'ai rien à offrir… Rien… Une âme flétrie, ni plus ni moins, soupire-t-il en me tournant le dos.

Suis-je à peine arrivé qu'il veuille déjà que je parte ?

Trois questions, et il vient d'oublier la plus importante. Pourquoi est-il parti ? Voilà ce que j'étais venu chercher. Pas les élucubrations fumeuses d'un homme shooté au cannabis.

J'enrage et je ne sais pas ce qui me retient de le secouer pour lui faire cracher le morceau. Quel lâche ! C'est facile de n'avoir rien à offrir. Facile de se sentir impuissant sans s'être donné les moyens du contraire. Facile de vivre à côté de ses responsabilités ! Cet homme est cassé de l'intérieur pour des raisons obscures qu'il n'assume pas et n'a plus rien à voir avec mon père.

Mes yeux se ferment sur mes mâchoires serrées sans que je puisse trouver le sommeil. Demain, je partirai. Voilà bien la seule chose qu'il attende de moi.

6

Time is brain

Marie-Lou

✓ Messages de Matthieu : 0. Nombre de fois où j'ai regardé : 40. Je progresse !

✓ Nombre de réunions de crise au sujet d'Écume : 3. Pour ou contre l'autoriser à rester ? Contre. À la majorité ! Et si on votait pour l'horrible chat de gouttière ? C'est quoi, ce racisme anti-chien ? Nombre de bêtises répertoriées. De celles qui font se demander si Écume veut vraiment rester : 1 (à la minute). Pfff !

✓ Nombre de papiers avalés par Cédric Breton en une journée : 30. De boulettes de coton mâchouillées : 10. Estimation approximative ne comptabilisant pas celles ingurgitées en douce dans son bureau ou à son domicile. Donc nette sous-estimation ! Nombre de fois où je l'ai vu les recracher : 0. Il ne les avale quand même pas ? Ce n'est pas possible !

Et combien de réunions de crise dans ma tête ? Chaque soir, la première semaine, je m'étais demandé si j'étais pour ou contre rester dans cette colonie de vacances (sans vacances).

Lundi, plutôt pour, quand Farah m'avait proposé une soirée filles à se gaver de gâteaux.

Mardi, plutôt contre, quand j'avais perdu toutes mes parties de badminton.

Vendredi, plutôt pour, quand Alexandre, un des internes des urgences, avait improvisé un concert de jazz dans le salon. Et contre, un peu plus tard dans la soirée, quand je m'étais retrouvée enfermée dans les toilettes. Puis archi-contre quand l'urgentiste « sauteur-baiseur » m'avait libérée en me gratifiant d'un sourire pervers.

Et définitivement pour, chaque matin au réveil, à l'idée de retrouver mon marabout de chef de service !

Depuis quelques jours, c'est nouveau, le marabout me tutoie. Décision qu'il avait prise lui-même, juste après avoir mangé une partie de l'observation de Mme Grenier. J'avais pourtant passé tout l'après-midi à la rédiger. Cette octogénaire venait d'être hospitalisée pour bilan de chutes. Je m'étais appliquée à lister toutes les maladies et opérations qu'elle avait subies depuis sa plus tendre enfance. La pauvre, tous les organes y étaient passés. Ses os ? Fracturés, puis tassés par l'ostéoporose. Ses intestins ? Perforés, rafistolés, constipés. Son utérus ? La totale. Ses poumons ? Tuberculeux, talqués, emphysémateux, essoufflés. Son cœur ? Un peu sautillant, calant, mais redémarrant toujours. Son cerveau. Aïe. Voilà bien un organe qu'on ne rafistole pas, ne talque pas, ne redémarre pas comme ça. La pauvre.

Son I.R.M. avait parlé. Son cerveau était miné de petits trous laissés au fil du temps. Sans faire de bruit. Mais qui, les uns à côté des autres, déréglaient la machine. Faisaient « bugger » l'ordinateur. Perte des commandes sensorielles, motrices. Perte de mémoire. Et voilà que Cédric m'avait grignoté tout le côté droit de la feuille ! Sans prévenir. Les réflexes avaient perdu leurs « flexes », les bruits du cœur, leur cœur. Mon observation était devenue incompréhensible, et je n'avais pas manqué de le lui reprocher. C'était sorti tout seul. Tout chef qu'il était.

— Oh non ! Mais vous ne pouvez pas vous contrôler ? Je ne sais pas, moi : prenez des chewing-gums, des vrais !

Il avait tourné la tête comme s'il n'était pas question de lui, comme s'il n'était pas fautif, puis était sorti de la pièce ni vu ni connu. Depuis, il me tutoyait. Faut croire que la phase test était passée.

Ce matin, je l'ai suivi toutes affaires cessantes.

— Marie-Lou… Il y a une alerte « thrombolyse[1] », tu viens avec moi ?

Farah m'a prévenue. En quelques jours, je suis devenue l'antistress de mon chef de service. Encore mieux qu'une de ces boules de coton qui grince entre ses dents ! Il m'emmène partout et m'apprend plein de choses par la même occasion.

Et les alertes « thrombolyse », c'est le stress absolu.

---

1. Traitement utilisé d'urgence pour certains A.V.C. dans le but de dissoudre le caillot obstruant l'artère.

Cela impose de réagir vite. De courir à l'I.R.M., d'analyser l'A.V.C. et de décider si oui ou non le patient peut bénéficier du traitement. Compliqué de canaliser le bon docteur Breton dans ces moments-là. Il y a quelques mois, il avait été la risée de tout l'hôpital. De ces anecdotes qui se répandent comme les bonnes blagues et s'invitent à toutes les discussions. Le grand chef s'était précipité pour examiner son malade, la tête encore dans l'I.R.M. Pourquoi s'était-il approché de la machine avec son chariot et son marteau à réflexes dans la poche ? Un bruit assourdissant avait suivi, puis les cris effrayés des manipulatrices radio. Le patient, lui, n'avait rien entendu, un casque vissé sur les oreilles. Les objets métalliques venaient de s'écraser contre le tube, attirés par le champ magnétique et l'impact avait été si violent qu'il y avait laissé un trou. Un trou de quelques milliers d'euros. Le marabout aurait rentré son menton en faisant le coup du « ni vu ni connu » et se serait penché au-dessus dudit patient sans prêter attention à l'impact laissé par le chariot volant.

Mais là, il s'est contenté de rester sagement derrière la vitre. À mesure que les images défilaient sur l'écran, il étirait entre ses dents les doigts d'un gant en latex qui venaient lui claquer en pleine figure. Je sursautais à chaque fois.

— Allez, allez… *Time is brain !* bougonnait-il.

Je ne savais pas vraiment à qui il s'adressait. À la machine ?

Philippe Horel, cinquante-quatre ans, s'était écroulé une heure auparavant sur son lieu de travail. Un éclair dans un ciel serein. Sportif, svelte et non fumeur, personne n'aurait pu envisager qu'il ferait un A.V.C. si jeune. Et pourtant, Cédric a pointé du doigt :

— L'artère basilaire est bouchée… Regarde : un A.V.C. du tronc cérébral sur les séquences de diffusion. *Shiiit… Time is brain…*

Pourquoi se met-il toujours à baragouiner en anglais quand il est stressé ? Encore une autre manie. Je repensais au slogan sur les affiches de prévention : « Dans l'A.V.C., une minute de perdue, c'est deux millions de neurones détruits. »

— Sortez-le ! Il faut faire vite… *Time is brain !*

Le rythme de l'après-midi s'est accéléré à la sortie de l'I.R.M. L'état de M. Horel était aussi critique que le laissaient présager les images. Outre des troubles de conscience, ses membres ne réagissaient plus à la stimulation. Pour raccourcir le temps interminable, Cédric a ameuté les troupes. Radiologues, infirmières, réanimateurs, urgentistes se sont succédé en s'agitant autour du brancard. Action, réaction. Perfusion, intubation. La thrombolyse par voie intraveineuse ne suffisait pas à dissoudre le caillot qui bouchait cette artère principale. Il fallait tenter de le retirer en montant un guide à l'intérieur des vaisseaux et rapatrier le patient à Brest.

— *Go ! Go ! Go ! Time is brain*, a crié l'anglophone au médecin du Samu en le suivant jusqu'à l'héliport.

Ce dernier s'est retourné plusieurs fois d'un air inquiet et surpris à la fois. Il aurait entendu des cris de singe derrière lui qu'il aurait eu la même expression. Le marabout n'y a prêté aucune attention, ayant pour habitude de susciter ce genre de réactions, puis a repris sa posture et sa démarche d'échassier en direction de son bureau.

Quand la carlingue vrombissante de l'hélicoptère a surplombé le toit de l'internat, une chape de plomb m'est tombée sur les épaules avec l'impression désagréable d'avoir été la curieuse spectatrice d'un bien triste enchaînement. N'est-ce pas le propre de notre fonction d'interne en médecine de ne pas être autonome dans toutes les situations ? J'ai tendance à l'oublier. L'apprentissage doit passer par là. Ces phases d'observation où l'on ne sert à rien, même pas à pousser le brancard. Où notre cerveau mémorise ce qu'il devra reproduire un peu plus tard, une fois le diplôme de docteur en poche. Combien de neurones Philippe Horel avait-il déjà perdus ? Et surtout, combien allait-on réussir à lui en sauver ?

Un comité d'accueil m'attendait dans le salon, bras croisés, regards sombres. Seule Marie se retenait de rire. Écume, toujours au centre de l'attention, est accouru à grandes foulées pataudes, un rouleau de papier toilette pincé dans la gueule. Comme d'habitude, le toutou avait l'air content de me voir. Faut dire, quel beau cadeau ! Cette fois, il me déroulait le tapis. Un tapis blanc triple épaisseur qui zigzaguait entre les tables et disparaissait dans la cuisine. Puis dans le couloir. Aïe, dans l'escalier aussi. Quelle fatigue !

Je me suis affaissée, dépitée, sur une chaise et cet énergumène y a vu comme une invitation à poser ses grosses pattes sur mes genoux et à me léchouiller le visage. Là, Marie ne s'est plus contenue et a explosé. Un rire rocailleux qui – habituellement – se voulait communicatif. Merci de dédramatiser ! Merci. Quelle date limite déjà la communauté m'a-t-elle accordée pour ramener cette boule de poils à Brest ? Samedi prochain. Ça approche ! Et je sens qu'Anna et Eduardo vont me remercier !

La maison de Brigitte, la mère de Matthieu, m'a semblé le refuge idéal pour retenir le fauve jusqu'au week-end prochain. Bénodet est à une quinzaine de kilomètres de Quimper, et je n'aurai aucune difficulté à faire l'aller-retour tous les soirs. Au contraire, vu l'ambiance à l'internat, ces escapades en bord de mer me feront le plus grand bien. Seul Écume reste la grande interrogation. Est-il capable de se tenir tranquille jusqu'au soir ? Sans bêtise, ni catastrophe ? J'avais souvent eu l'impression qu'il se comportait différemment au contact de Brigitte, plus posé, moins turbulent. Comme s'il se rendait compte qu'un geste maladroit de sa part pouvait la faire tomber. Comme si la porcelaine apaisait l'éléphant.

Et justement, en me garant devant la maison de porcelaine face à la plage de Trez, je me suis interrogée de nouveau. Est-ce vraiment une bonne idée de perturber la quiétude des lieux ? Cette bâtisse néobretonne, dont le seul charme réside dans son emplacement, était bien calme ces derniers temps. La porte encadrée de granit ne s'ouvrait que sur les allées et venues des infirmières tous les matins et les miennes une fois par semaine, quand j'emmenais Brigitte faire ses courses. Elle avait décommandé l'auxiliaire de vie engagée par Matthieu pendant son absence. Par pudeur mais aussi par fierté, elle acceptait difficilement l'aide de personnes extérieures et préférait ma compagnie. Me considérant comme une personne «intérieure», sa confiance me flattait et me confortait dans l'idée que j'avais apprivoisé la mère avant d'apprivoiser le fils.

— Pourquoi n'y avoir pas pensé plus tôt ? m'a-t-elle rétorqué en m'enlaçant chaleureusement de son bras gauche, le seul libre de canne. Tu peux t'installer chez moi jusqu'à la fin de ton stage si tu veux.

Avec mon éléphant gaffeur aussi ?

Écume s'est fait petit pendant que je préparais le dîner, sagement assis aux pieds de la maîtresse de maison. Brochettes de lotte au chorizo, son repas préféré. Ce qui la changeait des denrées non périssables de son kit de survie achetées chaque semaine selon le même rituel. Pâtes, riz, légumes secs. Heureusement, je glissais en douce dans son chariot quelques sucreries pour édulcorer ses journées monotones. Caramels, crêpes dentelles, napolitains, qui disparaissaient de ses placards plus vite que le reste.

Brigitte a éludé la question tout le temps du repas en décortiquant patiemment son plat de ses mains frémissantes. Une bonne heure pour finir son assiette, entrecoupée de pauses à me regarder de ses yeux lavande hésitants. Ce n'est que tard dans la soirée qu'elle a osé me demander si j'avais des nouvelles de Matthieu.

— Non. Et vous ?

J'y ai perçu un soulagement mêlé d'inquiétude.

— Non.

Elle a allumé la télé sans conviction, cherchant un bruit de fond pour rompre le silence, et m'a tendu sa boîte de perles.

— Que veux-tu, cette fois-ci ? Un bracelet ? Un collier ?

J'en ai déjà toute une panoplie, tous plus clinquants et colorés les uns que les autres, que je prends soin de porter en sa présence. Comment refuser ? Quelle leçon de patience de la voir aussi habile et précise avec ses doigts ralentis, raidis et tremblants. N'est-ce pas là qu'est toute la valeur de ses bijoux ? La valeur du courage.

— Et Écume ? Il n'a pas le droit à un petit collier ?

En entendant son nom, le bon toutou avachi sur le tapis a soulevé un bref instant ses lourdes paupières avant de poursuivre ses ronflements.

— Ah oui, tiens... Pourquoi pas ?

À ce moment, mon téléphone, posé sur la table, a vibré. Eduardo. «Il paraît que tu viens ce WE. Ravi. Je serai tout à toi.»

Que penser de cette phrase ? De ce smiley la ponctuant ? Mon air dubitatif a incité Brigitte à approcher sa tête de l'écran – comme si ce message lui était adressé.

— Je ne devrais pas te dire ça, mais... j'ai peur que Matthieu ne revienne pas. Pas tout de suite en tout cas.

Que cherchait-elle ? À me faire réagir ? Y avait-il un lien avec le mot d'Eduardo ? Comme si j'y étais pour quelque chose !

— Pourquoi vous dites ça ?

— Eh bien... Avec son père, il faut qu'ils rattrapent

le temps perdu… Ils ont tellement de choses à se raconter tous les deux.

Un haussement d'épaules a été ma seule réponse. *Avais-je vraiment envie d'entendre ça ?*

— Et puis… j'ai peur qu'il prenne parti… qu'il m'en veuille.

Voilà autre chose !

— De quoi ?

Son aiguille est restée suspendue un court instant.

— De rien, a-t-elle soupiré. Disons que je ne lui ai pas tout dit à propos de Yann. À cette époque, j'étais blessée et en colère… Alors, je lui ai laissé croire qu'il était parti du jour au lendemain sans prévenir.

— Et ?

— C'est faux.

Je l'ai regardée longuement, elle et sa moue de petite fille fautive, sans chercher à obtenir plus de confidences.

— Est-ce une manie chez les Madec de se cacher des choses ?

Ma question l'a surprise, mon air moqueur aussi. Elle a hésité un moment.

— Faut croire… Comme si la volonté de préserver l'autre nous faisait commettre des maladresses.

Cette dernière phrase a résonné étrangement en moi, comme l'écho de ma relation avec Matthieu, qui n'a jamais été simple. Brigitte a l'âge d'être ma mère, je ne vais pas lui faire l'affront de lui donner des conseils et j'ai préféré détourner le regard vers la télé. Vers ces visages maquillés et «botoxés» dont l'immobilité étrange les rend presque effrayants. Qu'avais-je envie de lui dire ? Plein de choses. Que je n'aimais pas les secrets. Qu'ils me faisaient peur. Que leur présence se ressentait toujours d'une façon latente et insidieuse, qu'ils biaisaient les relations. Que leur révélation était douloureuse, source de remords et de regrets. Voilà Brigitte. Que je croyais au pouvoir de la parole et néanmoins là, bizarrement, j'avais envie de me taire et d'aller me coucher.

Allongée sur le lit de Matthieu, je peine à m'endormir. Dans cette chambre, tout me renvoie à lui. Chaque recoin diffuse son odeur et la déco, pourtant minimaliste, se dessine comme une partie du puzzle. Comme ce *Picsou magazine* tout écorné, les vagues qui déferlent sur cette photo jaunie, cette coupe vintage de tournoi de foot et ce sous-bock de bière.

Matthieu. Pourquoi tout est si compliqué dans ta famille ? Ou devrais-je dire… pourquoi vous escrimez-vous à tout rendre si compliqué ? Quel est donc le secret que tu es allé chercher ? L'ombre de ton père imprègne toute la maison. La tienne aussi. Ça fait beaucoup de fantômes pour que je trouve le sommeil.

Les rêves se décousent et se télescopent. J'y croise les montagnes du cirque de Mafate, les pales d'un hélicoptère, une douce odeur iodée et enivrante, le claquement d'un gant en latex, un chemin sinueux de papier toilette et le chuchotement lancinant du « *Time is brain* ».

7

L'homme idéal existe, il est argentin

Marie-Lou

✓ *Messages de Matthieu : 0. Nombre de fois où j'ai regardé : 23. Sevrage efficace !*

✓ *Messages d'Eduardo (depuis son arrivée) : 5 (tous les jours). Cherchez l'erreur.*

✓ *Nombre de smileys : 1 (par texto). Les mots ne suffisent-ils pas qu'il éprouve le besoin de les pimenter ? Les humeurs du bel Argentin oscillent entre le simple clin d'œil ;-), le sourire qui en rajoute des tonnes :-))), celui qui affiche des dents blanches impeccables :-D et celui qui pleure :'-). Ah, ces Latins !*

Ce samedi matin, j'attache Écume à un arbre devant l'internat le temps de faire ma visite. Ce labrador est devenu expert en expressions de chien battu. L'art de m'implorer de ses yeux larmoyants, de courber ses oreilles en entraînant ses paupières et ses bajoues. Sans oublier le petit miaulement qui oblige à se retourner plusieurs fois. «Pas bouger!»

Quand, quelques minutes plus tard, je retrouve la même expression sur le visage de Cédric Breton, je me retiens de rire. Pourquoi se mettre en tête chaque matin que je ne vais pas venir travailler? Cela devient lassant.

— Tu as des nouvelles de M. Horel, notre patient thrombolysé?

Plusieurs fois par jour la même question. Je me demande bien pourquoi il ne téléphone pas lui-même en réanimation à Brest. Encore un comportement étrange que je me refuse d'analyser.

— Non, mais je peux appeler si vous voulez…

— Euh, non, non… Pas de nouvelles, bonnes nouvelles, grommelle-t-il sans y croire une seule seconde. On verra lundi. *No news, good news*, répète-t-il en écho derrière son chariot de dossiers jusqu'au fond du couloir.

La scène attendrissante qui se joue chambre 54 lui a redonné le sourire. C'est le grand jour! M. Grenier a sorti sa cravate et ses bretelles du dimanche pour ramener sa femme à la maison. Sa «p'tite jeunette», comme il l'appelle du haut de ses quatre-vingt-dix ans. Ensemble pour le meilleur et pour le pire, ils se contentaient du pire depuis quelques années sans perdre le sourire. Le meilleur valait le coup, comme en témoignait la belle brochette d'arrière-petits-enfants. Il sait que, pour elle, ses blagues et sa bonne humeur sont le meilleur des médicaments. S'il faiblissait, tout s'écroulait, c'est le principe de la clef de voûte. Quand sa moitié l'a vu arriver ce matin, le soleil est entré dans sa chambre, son fauteuil roulant s'est transformé en carrosse et ses chaussures orthopédiques en souliers de vair.

— Bon retour, Mme Grenier !

— On ne vous dit pas à bientôt, docteur. Le mois prochain, on fête nos noces de diamant ! Et pourvu que ce ne soit pas à l'hôpital.

En quittant le service, je m'aperçois que la laisse d'Écume n'entoure plus l'arbre. Je la retrouve un peu plus loin dans le parc en train de gigoter derrière la main de Marie. Le bon toutou se fait paresseusement promener en reniflant tout ce qu'il trouve. Mes pieds au passage.

— C'est décidé, je t'accompagne à Brest, m'indique la présidente sans me laisser le choix. Je viens d'appeler Anna, elle nous attend pour le déjeuner. Ah, ça va être chouette, ce petit week-end entre filles !

Entre filles ? Elle oublie un léger détail. Mais peut-être Anna veut-elle lui faire la surprise… Quoi de mieux qu'un beau brun ténébreux comme cerise sur le gâteau ?

Marie prend place à l'arrière, contrainte de céder le siège passager au sensible molosse. Elle s'en veut, je commence à la connaître. Sa petite communauté d'internes est plus rigide qu'elle ne l'imagine. «Pourquoi ne pas construire un chenil dans le jardin ?» avait-elle proposé le premier soir. «Un espace canin dans le salon ? Un planning pour aller le promener ?» Non.

60

Écume y avait mis de la mauvaise volonté, et le groupe avait tranché.

Marie, c'est le genre de femme positive qui s'évertue à résoudre chaque problème et qui vous donne confiance à l'instant où vous la voyez. Une fille aux multiples labels : bio, écolo, équitable… De celles qui ont des convictions et qui s'y tiennent. Quand elle culpabilise, c'est quel label ça ? Le solidaire, sûrement. Et les gémissements d'Écume, la truffe au vent, ne font qu'enfoncer le clou.

— Tel chien, tel maître, me souffle-t-elle à l'arrière.

— Pourquoi tu dis ça ? Matthieu n'est pas malade en voiture, que je sache.

— Non, je parlais de son comportement en société. Imagine-le une seconde vivre à l'internat. Il tiendrait combien de temps, d'après toi ? *Je reste silencieuse à fixer l'horizon.* On serait obligés d'organiser des réunions de crise dès la première semaine. Je vois ça d'ici, il nous ferait la même sortie théâtrale que son chien en décorant les lieux de PQ. Ha ha ha !

Mes «ha ha ha», eux, étaient moins enthousiastes.

— T'es bête…

— Pas sûre que je sois loin du compte. Il revient quand, d'ailleurs ?

— Je ne sais pas. Il s'est arrangé avec la faculté pour prendre une dispo de six mois, il voulait faire une pause. Comme il vient de passer sa thèse, il pourra faire des gardes et des remplacements de temps en temps.

— De toute façon, il ne fait jamais rien comme les autres, celui-là !

Marie s'était lancée dans un monologue sur les

frasques et les conquêtes du tombeur durant ses pre-mières années de médecine sans prendre le temps de m'observer me décomposer dans le rétroviseur. Je l'avais interrompue, dépitée :

— Celui-là, je ne l'ai pas connu.

— Tu ne vas pas me faire le coup du : « Il a changé grâce à moi » !

Pourquoi ne leur donne-t-on pas de cours de psy-chologie en gynécologie ? Je ne l'avais pas changé, j'avais juste soulevé sa carapace ! Elle ne peut pas com-prendre. Matthieu, c'est l'anti-label, l'anti-tout. Le mec qui ne mangera jamais bio et ne fera jamais comme les autres. Je m'y suis résignée.

Le cafard m'accompagne jusqu'à Brest. Là où je m'apprête à rompre ma promesse : abandonner Écume. M'éloigner encore plus de Matthieu. Et le port du Moulin-Blanc, apparu en contrebas du pont de l'Iroise, m'enveloppe d'une douce nostalgie.

— Eduardo, mon colocataire ! annonce Anna comme l'aurait fait une meneuse de revue.

Quand il sort torse nu de la salle de bains, une ser-viette autour de la taille, Marie en perd sa mâchoire. Surtout lorsque le coloc aux airs de chippendale s'ap-proche pour coller ses « smacks » sur nos joues roses émoustillées en faisant bomber ses pectoraux. Où se cache le timide neurochirurgien ? Celui qui rougissait et regardait ses pieds ?

— Ce midi, les filles, c'est moi qui régale ! Le temps d'enfiler un jean et je suis tout à vous !

Encore cette phrase… Sauf que le « tout à toi » s'est

transformé en « tout à vous ». Parfait, je vais pouvoir partager !

La propriétaire des lieux nous propose un verre de vin rouge argentin agrémenté d'œillades explicites auxquelles Marie semble très réceptive.

— Oh, c'est vrai qu'il nous régale dans tous les sens du terme.

— Si vous voulez tout savoir, se rapproche Anna sur le ton de la confidence, mon homme de maison sait aussi faire le repassage.

— Ce qui nous intéresse, c'est plutôt comment il manie le fer…

Et là, j'en recrache ma gorgée de malbec ! Difficile d'arrêter le duo de choc une fois lancé, le rire rauque de l'une encourage l'autre à continuer :

— Cet homme est parfait, je vous dis… Mieux qu'une centrale vapeur ! L'art de vous défroisser dès la première soirée !

C'est au tour de Marie d'avaler de travers dans un gloussement mal contrôlé. Impossible qu'elle parle du même Eduardo. Qui est donc cet homme élégant revenant tout habillé ? Son frère jumeau ? Je reconnais son « smiley » qui affiche des dents blanches impeccables et la danse calibrée de ses mocassins sur le parquet. Lorsqu'ils glissent sur la balle de tennis qu'Écume vient de lâcher, on se met à crier comme trois groupies, puis à soupirer de soulagement quand ils rectifient le tir in extremis et reprennent leur cadence jusqu'à la table de la cuisine.

Salsa !

— Je ne suis pas sûr d'avoir bien compris, s'est-il inquiété. Ce chien va rester combien de temps ?

— Euh… une durée indéterminée, répond Anna en grimaçant.

— C'était dans le contrat de colocation ?

— Ici, tout est imprévisible !

Le regard en coin qu'elle lui lance et ses battements de cils aguicheurs sous-entendent quelques séances de repassage. Ce coloc répondrait-il aux critères du « plus si affinités » ?

Son copieux déjeuner aux saveurs latines se termine par un espresso au *Gobe-mouches*. C'est moi qui l'ai réclamé. Même si leur café a la couleur et la saveur d'un jus de chaussette – totalement imbuvable pour un Argentin – qu'il est bon de retrouver l'ambiance joyeuse de ce bar de quartier ! À notre entrée, Yvonne pousse un cri derrière son comptoir en agitant ses gros bras :

— Tiens, une revenante !

Je hume la bonne odeur d'andouille et de viande fumée avant de saluer Francis à travers la porte de la boucherie attenante.

— Des nouvelles de Jo et de Matthieu ? me demande-t-on plusieurs fois.

Comme une rengaine, la réponse est toujours la même, triste et évasive :

— Ni de l'un ni de l'autre…

— Jo est toujours sur l'île de Groix, me secourt Anna. Il faut aller à la pêche aux nouvelles et ne pas avoir peur de finir bredouille en tombant sur son répondeur.

— Et Matthieu ? Encore à la Réunion ? la questionne Yvonne en détaillant Écume couché sous notre table.

Anna se penche pour caresser le labrador.

— Comme tu le vois. Et d'ailleurs, à partir d'aujourd'hui, Écume fait partie du décor. Je vous le laisserai chaque matin en partant à l'hôpital. C'est un très bon chien de garde, je vous jure !

À ce moment, le cerbère ouvre péniblement un œil avant de poursuivre ses ronflements, ce qui ne manque pas de faire rire l'assemblée. Et Marie ne tarde pas à être dans le même état qu'Écume après deux verres de « gobe-mouches », à ceci près qu'elle n'est pas encore couchée par terre.

— Anna, t'aurais pu prévenir ta copine que ça faisait partie du bizutage ! s'esclaffe Yvonne d'un rire gras, en nous regardant partir avec Marie bras dessus, bras dessous.

La rade de Brest est derrière nous, le soleil tarde à percer les nuages. En souvenir, Écume nous a laissé une odeur de fauve qui imprègne l'habitacle. Savourant le silence, je contemple le paysage qui défile le long de l'asphalte et j'évite de stimuler la bavarde assise à côté de moi. Marie se décroche la mâchoire toutes les cinq minutes en repliant ses mains derrière la tête. Étrange comme le bâillement est communicatif, le mien est si long qu'il nous fait sourire toutes les deux.

— C'était vraiment sympa comme week-end ! finit-elle par dire, rompant le silence.

— Oui, ça m'a fait du bien aussi.

— Je peux te poser une question ? Qu'est-ce que tu lui reproches à Eduardo ?

— Rien, pourquoi ?

— Et dire qu'il n'avait d'yeux que pour toi, l'année dernière ! Et que tu as préféré Matthieu Madec. *Elle lève les yeux au ciel.* T'es maso, ma vieille...

Je lui tape sur le dessus de la tête. Si elle bâille, pourquoi ne s'endort-elle pas à la fin ? Pour moi, l'homme idéal existe. Et il est breton. Taiseux, grognon et solitaire, il ne se rase pas, ne se peigne pas les cheveux. Ses smileys à lui n'affichent jamais des dents blanches impeccables. Il baisse la tête plutôt que de bomber le torse, et traîne ses tongs d'un pas nonchalant au lieu de danser la salsa.

Il faut de tout pour faire un monde, non ?

8

Le langage du corps

Matthieu

— Reste… m'avait murmuré mon père dans l'oreille après m'avoir secoué l'épaule pour me réveiller.

Mais je ne dormais pas. Comment dormir après ça ?

— S'il te plaît, reste, avait-il insisté avant de repartir se coucher.

Alors j'étais resté, il m'avait fallu toute la nuit pour prendre cette décision. Une nuit entrecoupée par le grésillement aigu des moustiques femelles en pleine parade nuptiale, qui m'avait paru interminable ! Mais très efficace pour tester ma patience et transférer ma colère sur autre chose que mon père. J'avais dû à la fois contrer les attaques des moustiques tigres et calmer les symptômes fulgurants du chikungunya. Pourquoi ne respectaient-ils pas les règles d'incubation – censées être de quelques jours ? Incroyable. Pas besoin de cannabis – ni en joint ni en infusion – pour sombrer en plein délire hypocondriaque ! De violentes douleurs articulaires avaient commencé à me brûler et me tordre les membres. C'était pire si je restais allongé, alors je m'étais mis à faire des tours de jardin. Au bout d'une trentaine de cercles au pas de course – au cas où les moustiques décideraient de me suivre –, j'avais fini par trouver une nouvelle occupation : arracher un à un les plants étoilés qui fleurissaient sous le hamac. Ça m'avait bien défoulé, et bizarrement mon arthrite aiguë et fulgurante s'était calmée à la dernière tige. Sans même avoir besoin de les manger !

Le croissant de lune au-dessus de ma tête m'avait souri, une sorte d'émoticône en forme de parenthèse :). Un présage peut-être. Et j'avais enfin réussi à desserrer les mâchoires. Guéri ou trop fatigué. Ou les deux à la fois. Je m'étais finalement endormi au lever du jour. Juste au moment où le soleil avait entrepris de me chauffer les joues et de me tirer du lit une bonne fois pour toutes.

Le grincement du portail le fait se redresser d'un coup. On dirait un pantin qu'on vient de hisser par un fil au-dessus de sa tête. Je suis justement en train de me dire que Robinson a encore abusé du cannabis. Assis sur sa terrasse, la tête enserrée entre ses mains, il se réveille tout simplement. Je connais cette expression sur son visage. C'est la même que la veille. Une joyeuse stupéfaction mêlée d'angoisse.

— Matthieu ! T'es encore là ? Je croyais…

Il croyait quoi ? Que j'allais choisir la facilité ? Partir en douce dans la nuit ? Comme lui, il y a trois ans ? Pas question de reproduire ce pourquoi j'enrageais. En vrai pitbull, je ne vais pas lâcher ma proie jusqu'à obtenir des réponses.

Étrange de le voir au même endroit qu'hier soir, dans la même position, avec la même tasse. Seul le contenu change, et – à choisir – je préfère l'odeur de l'arabica à celle du chanvre. Cette tête bouffie encore marquée par les plis de l'oreiller, je la revois comme si c'était hier et je me dis que j'ai bien fait de rester. Il m'a manqué, ce con. Je m'empare de sa tasse fumante avant qu'il la porte à sa bouche. Son jus de chaussette couleur chocolat provoque sur mes papilles une curieuse nostalgie, et je lui lance en m'asseyant à côté de lui :

— Alors comme ça, tu pensais que je m'étais fait la malle ? *Il me sourit d'un air gêné.* Qu'est-ce que tu crois ? Pendant que tu dormais, je suis allé déboucher les oreilles de pépé Gaston.

Son esprit brumeux en manque de caféine se demande s'il est vraiment bien éveillé. C'est assez drôle à regarder.

— Quoi ? À neuf heures du matin ?

— Ouais… Je l'ai réveillé, d'ailleurs… Et pour ça, j'ai dû crier à sa porte.

— Le pauvre ! Tu avais pris mon otoscope au moins ? Et ma poire ?

— Ta poire ? Bien sûr, c'est une vraie antiquité ! *Il hausse les épaules.* Mais ce n'est pas une opération débouchage qu'il lui fallait… C'est un sonotone !

— Ha ha ha… Je le lui répète à chaque fois… Mais il n'en démord pas, il veut que je lui lave les oreilles tous les mois ! Il n'y a pas plus têtu. Pas la peine d'insister.

Je tente de l'imiter d'une voix chantante en gommant les consonnes.

— Un sono… quoi ? Mon p'tit… n'ai même pas l' téléphone alors…

Les jours suivants s'égrènent au rythme mafatais et me font l'effet d'une bonne dose de tranquillisants. Je me lève de plus en plus tard et me couche de plus en plus tôt, bien à l'abri sous la moustiquaire installée au-dessus du canapé du salon.

Mon portable ne quitte pas ma poche, comme pour me rattacher au monde. Comme pour me rattacher à elle. Machinalement, je glisse mon pouce sur le bouton du bas, et son visage s'illumine sur l'écran d'accueil.

— Tu sais, tu peux utiliser le téléphone du gîte, m'indique mon père en baissant les yeux.

Il s'attarde alors sur la chevelure noire qui lui cache la moitié du visage, ses lèvres roses en demi-lunes, son œil vert d'eau. Empreint de curiosité, il penche la tête pour mieux voir, juste au moment où je la fais disparaître. S'il veut la voir, il sait ce qu'il lui reste à faire.

Marie-Lou. Il paraît que le manque ne s'estompe pas, qu'il se raisonne. Ne suis-je pas là pour mieux la retrouver ? Pour être en paix avec moi-même ? Je ne l'appellerai pas. En tout cas, pas maintenant. Entendre sa voix me donnerait envie de repartir, de façon impulsive et irraisonnée. Alors je me contente de faire défiler ses photos. Celles que j'ai prises à son insu pendant ces quelques jours sur l'île de Groix. Quand elle lisait, avachie sur son transat, en plissant les yeux gênée par le soleil quand elle dormait en position fœtale sur la plage des Grands Sables ou encore quand elle regardait la mer d'un air impassible. Impassible ou rêveur. J'adore cette photo.

— Matthieu, ne déconne pas… Redescends ! me crie mon père, affolé. Je t'ai déjà dit qu'on ne captait pas ici.

À cheval sur le toit du cabanon, je brandis mon portable vers le ciel.

— Attends, je viens de gagner une brique de réseau… Sauf qu'elle est restée une seconde, puis plus rien.

— Le téléphone du gîte, gémit-il. Tu vas te casser une jambe.

— Je voulais juste relever mes messages.

Le manque ne s'estompe pas, et je n'ai jamais été raisonnable de toute façon.

Dans la lignée des bouchons d'oreilles de pépé Gaston, on continue tous les deux à sauver des vies. Deux Doc' pour le prix d'un ! Du jamais vu. J'accompagne mon père sur les sentiers, toujours un peu plus haut, toujours un peu plus loin. L'occasion de se parler. Quelques questions lancées à la volée suivies de longs soupirs.

— Depuis quand ? Enfin je veux dire… entre Brigitte et toi ?

Comme les cailloux du Petit Poucet lâchés le long

du chemin, ses réponses viennent quelquefois long-temps après. Et bizarrement, je suis devenu patient.

— Avec ta mère, on n'arrivait plus à se parler… Il n'y avait plus de sentiments depuis longtemps, bien avant sa maladie.

Je n'aime pas qu'il me parle d'elle de cette façon. Le «ta mère» a remplacé «maman», a remplacé «Brigitte», avec une rancœur contenue qui m'écorche l'oreille. Je serre les poings en le laissant continuer.

— Quand son Parkinson s'est déclaré, je me suis dit qu'il était trop tard pour la quitter.

— Pourquoi ? J'ai du mal à comprendre.

— Moi aussi.

Et il se met à accélérer comme un cabri. Je le rattrape au pas de course, propulsé par les chaussures de randonnée taille 48 qu'il m'a prêtées et, par je ne sais quel accord tacite, on commence à se tirer la bourre.

— J'étais coincé, halète-t-il. Je l'ai compris il y a peu. *S'il me refait le coup du* «bad trip», *je le laisse sur place.* Compliqué de quitter une femme malade, surtout quand on est le médecin du coin. Quand tout le monde vous voit comme un sage, un confident. Le qu'en dira-t-on, ça m'a fait peur… Ton jugement aussi, s'essouffle-t-il derrière mon dos. Alors j'ai pris sur moi et je me suis réfugié dans le travail.

— «L'enfer, c'est les autres[1]», dis-je en accélérant encore.

Au coude-à-coude, il me jette un regard comme si j'avais tout compris.

— Je suis devenu le médecin de ta mère, la seule

_____
1. Jean-Paul Sartre, *Huis clos.*

fonction qui m'était acceptable… De toute façon, je ne pouvais lui offrir que ça… et j'avais l'impression qu'elle s'en contentait… Puis tu es parti à la fac, et le ménage à trois avec M. Parkinson est devenu insupportable…

Ça va être de ma faute, maintenant ! Je le pousse sur le côté quand il essaie de me doubler. L'athlète esquive de justesse une branche de latanier puis se met à marcher, vaincu. Pour une fois, je suis d'accord avec lui : il n'avait aucune raison de partir aussi loin. Aucune. Et je regrette qu'il ait mis trois ans à s'en rendre compte.

Sauf si… Sauf s'il ne me dit pas tout.

Plus j'avance, plus cette impression grandit et creuse le trou au fond de ma poitrine. Pourquoi venir se terrer à Mafate ? Retourner à Groix, l'île de son enfance, n'aurait-il pas suffi ? Pas la peine d'aller à l'autre bout de la planète pour fuir ma mère. Elle qui ne peut même pas aller plus loin que le bout de sa rue. Il y a sûrement une autre raison. Mais laquelle ? Je ne m'attendais pas à du spectaculaire genre double vie d'agent secret ou course-poursuite avec des gangsters, mais là, c'est pathétique. Je finis par me retourner.

— Pourquoi si loin ? Pourquoi couper les liens et disparaître complètement ?

Robinson semble fatigué tout à coup. Dans le regard en demi-teinte qu'il me lance, mon impression se confirme. Il y a autre chose.

— Tu ne t'en tireras pas comme ça.

Ma menace se veut souriante, pleine d'espoir. Je ne lâcherai pas, il peut me faire confiance de ce côté-là. La fossette qui se creuse m'indique qu'il n'en doutait pas.

C'est avec une bonne longueur d'avance que j'arrive à l'îlet à Bourse situé en bordure d'une forêt de filaos.

Je repère très vite la petite case aux volets jaunes où nous attend, reclus, M. Hoarau. Notre seul patient de la journée.

Mon père m'a dressé le tableau avant de partir. Sombre et sans espoir.

— Un cancer probablement, mais un cancer de quoi ? On ne le saura jamais. Pas question d'être héliporté vers un hôpital. Quitter Mafate signerait sa mort. Il me le répète à chaque visite au cas où je ne l'aurais pas compris… Il faut parfois savoir se contenter d'une médecine bien approximative, a-t-il soupiré. Celle qui ne guérit pas, mais qui écoute… et qui soulage au mieux.

Au mieux. Comme le sachet de zamal qu'il dépose discrètement sur sa table de nuit tout en guettant du coin de l'œil ma réaction. Je secoue la tête, feignant d'être indigné.

— La morphine ne suffit plus, tente-t-il de se justifier. Les infusions du soir calment ses douleurs. J'ai lu un article sur les propriétés médicales des cannabinoïdes dans *La revue du Praticien* et je me suis mis à en cultiver. Ça prolifère à une vitesse !

— Ah, je pensais que c'était pour ta consommation personnelle ! dis-je d'un ton provocateur sans prêter attention à son froncement de sourcils.

Un dealer maintenant, on aura tout vu. Il n'avait pas commenté mon jardinage nocturne et faisait comme s'il ne l'avait pas remarqué. Quand je l'ai surpris ce matin à récolter quelques feuilles séchées, j'ai pensé qu'il était en manque. Finalement, je préfère cette seconde option.

Rongé par la maladie. Ce terme prend tout son sens en regardant M. Hoarau. Ses muscles ont fondu un à un. En véritable squelette vivant, ses os zygomatiques saillent de part et d'autre de ses yeux jaunes. Ceux qui s'écarquillent en me fixant.

— Mi le en train trouv' mon sommeil, gémit-il en levant ses mains tremblantes dans ma direction.

— Il dit qu'il s'endort doucement, me traduit mon père.

— Da woir ou ramene out garçon ter la ? Di pa moin li le pilote d'helicopter' et ki sa rode à moin ?

— Il a peur que tu sois un pilote d'hélicoptère et que tu viennes le chercher pour le ramener en métropole.

Le Doc' s'assoit sur son lit et lui sourit :

— Non, rassure-toi. Il est docteur comme moi. Et d'ailleurs, comment sais-tu que c'est mon fils ?

— Un zoreil comm ou ! Li le grand même oui et met a li bien !

— Tu es grand et élégant, se retourne-t-il avec fierté.

Où qu'il soit – à Bénodet ou en plein milieu de Mafate –, Yann Madec a ça dans la peau. La sagesse qui soigne et qui redonne confiance. Quitte à apprendre la langue bretonne ou même créole pour se mettre au diapason de ses patients. À l'école, je me souviens de son effet sur les instituteurs et les autres élèves. J'étais le fils d'un demi-dieu avant qu'il tombe brusquement et définitivement de son piédestal. Je reste en retrait à l'observer et j'en viens à me demander si cette aura bienveillante se transmet de génération en génération.

En redescendant vers Cayenne, ces images fortes me restent en tête. La lenteur affirmée de sa main se posant sur le bras frêle, le regard qui se plisse et vous enveloppe. Le langage du corps. Mon père a ce pouvoir, faute de savoir trouver les mots et il a le même effet sur moi depuis quelques jours.

Comme si j'avais pensé tout haut, le Doc' – jusqu'ici silencieux – vient me taper sur l'épaule.

— Un personnage… hein, M. Hoarau ? Je resterai ici tant qu'il sera en vie.

Puis il se met à trottiner en me défiant du regard. Je lui emboîte le pas.

— Comment ça ? Et après ?

— Et après ?

— Tu reviendras en métropole ?

Il me sourit malicieusement puis accélère encore.

Et pour la première fois, j'ai le sentiment de ne pas être venu pour rien.

9

La croix bleue

Marie-Lou

✓ *Messages de Matthieu : 0. Nombre de fois où j'ai regardé : 5. Lassée.*

✓ *Temps passé à rêvasser devant le film du dimanche soir : 1 h 30. Bref, tout le film. C'était quoi déjà ?*

✓ *Nombre de fois où je me suis retournée dans mon lit sans trouver le sommeil : 3. Par minute !*

✓ *Nombre de questions stupides et insolubles qui m'ont semblé capitales sur le moment et qui ont tourné en boucle toute la nuit sans aucune logique : 4. Pourquoi les flashs de l'agression m'apparaissaient-ils toujours en noir et blanc ? Les chiens étaient-ils rancuniers ? S'il perdait son portable, Matthieu connaissait-il mon numéro par cœur ? C'était quoi l'intrigue du film déjà ?*

Ce matin, je me réveille exténuée.

— La fatigue matinale est psychologique, disait Hubert, mon chef de service en psychiatrie. Quand elle est physiologique, elle s'installe et s'intensifie au fil de la journée. Retiens bien ça.

Retenu ! La dépression me guette, vu le reflet de mon visage dans le miroir. Les cernes autour des yeux, les joues chiffonnées de la nuit, la poitrine lourde et tendue. Ce dernier point m'intrigue. Pourquoi me coucher avec les seins d'Audrey Tautou et me lever avec ceux de Sophie Marceau ? D'où vient cette étrange sensation que mon corps a changé ? La réponse s'invite dans un coin de ma tête pour ne plus en sortir. Elle grossit devant mon bol de céréales pour devenir sérieusement entêtante. Oui, c'est le mot. Je ne pense qu'à elle.

À l'heure du petit déjeuner, chacun reste dans sa bulle et prolonge les rêves de la nuit. Cette règle tacite et sacrée a été mise en place dès les premiers jours, et les bavards s'y sont vite pliés. La diva au chat mélange pensivement son muesli dans son fromage blanc pendant qu'Alexandre imite le penseur de Rodin en guettant le saut du grille-pain. Bertrand, lui, a gardé ses habitudes de petit garçon et trempe sa tartine beurrée dans son café au lait sous le regard désapprobateur de Farah qui est plutôt du genre à lever son petit doigt – à l'anglaise – en croquant dans sa Wasa spécial fibres. Marie, déjà en blouse et en pyjama de bloc, arrive toujours la dernière et s'installe en bout de table. Suivent les sonores mastications de ses galettes de riz. Celles qui n'ont pas plus de goût que les boulettes de papier du bon docteur Breton. L'oreille collée au poste de radio, la présidente attend patiemment l'heure du billet de France Inter et ne devient opérationnelle qu'une fois son émission terminée.

J'intercepterais bien la gynécologue quand elle court le sourire aux lèvres afin d'arriver à temps pour ses consultations. Pour lui dire quoi ? Ai-je déjà eu une discussion sérieuse avec Mme Farceuse ? Je ralentis le pas en pensant à Matthieu. À l'île de Groix et au rocher de l'anse Saint-Nicolas. À son attraction érotique et déraisonnable. À toutes les autres fois. Comment a-t-on pu prendre autant de risques ? Deux internes de médecine en plus ! Censés connaître les différents moyens de contraception. Savoir qu'à vingt-cinq ans, les ovaires sont en ébullition et les spermatozoïdes dans les starting-blocks.

— Ça ne va pas ? s'inquiète Farah en me voyant plus pâle que d'habitude.

J'invente une histoire de virose quelconque fréquente en ce mois de novembre, mais ma prestation d'actrice ne semble pas la convaincre.

— On en reparle ce soir, si tu veux, ajoute-t-elle en m'enveloppant de ses grands yeux verts.

Si les femmes ont un radar pour ces choses-là, Cédric Breton, lui, ne capte rien et me sort sa tirade habituelle :

— Tu as des nouvelles de M. Horel, notre patient thrombolysé ?

— Toujours pas…

— *No news, good news*, répète-t-il sans conviction.

Le marabout fait l'autruche et sait très bien que dans le cas de M. Horel, «pas de nouvelles» signifie «mauvaises nouvelles». S'il allait bien, les collègues de Brest nous auraient déjà appelés pour qu'on le reprenne dans notre service. Deux options: soit il est mort, soit il n'est pas transportable et je suis d'accord avec le grand chef aujourd'hui. Restons la tête dans le sable! Je cours derrière son chariot de dossiers en lui tendant un sachet de galettes de riz. Les fameuses.

— Pour la santé de votre estomac.

— Qu'est-ce que c'est?

— Goûtez, vous verrez.

— Beurk! Ça n'a pas de goût, grimace-t-il en entrant chambre 58.

— Depuis quand cela vous dérange?

Ma repartie l'amuse, je commence à l'apprivoiser.

D'où vient cette odeur de vieilles chaussettes fumées au feu de bois qui nous emplit les narines? Je me couvre machinalement le nez sans réfléchir aux règles de politesse. L'homme qui se tient assis face à nous est entré dans la nuit, et je n'ai pas encore eu le temps de faire sa connaissance. Une moumoute incroyable trône sur le sommet de son crâne. Comme une bande de paillasson, elle descend jusqu'à sa nuque, aussi noire et frisée que ses cheveux sont blancs et raides sur les côtés. Une perruque à la Davy Crockett, je ne peux m'empêcher de penser mais l'envie de sourire est vite réfrénée par une autre plus pressante.

— 'Onjou', prononcé-je entre mes doigts. Je 'eviens…

Après trois déglutitions dans le couloir pour faire descendre ce qui vient de remonter, je rejoins le grand marabout. Mes yeux glissent vers les fautives : deux charentaises ratatinées qui recouvrent l'avant de ses pieds. Depuis des années, Davy Crockett a mal à la tête. Hier soir, il a décidé que cela ne pouvait plus durer et s'est présenté aux urgences.

— C'est étrange, docteur, j'ai l'impression d'avoir un casque sur la tête, qui me serre comme un étau.

Un casque ? Une moumoute plutôt, non ?

Quand Cédric Breton se lance dans un examen approfondi, orteils à découvert, mon self-control explose, et j'ai à peine le temps d'atteindre le sac-poubelle béant accroché au chariot de l'aide-soignante. Ma discrétion est telle que l'alerte rouge est lancée : le virus de la gastro vient de franchir les murs du service, et je suis décrétée extrêmement contagieuse. La cadre m'ordonne de mettre un masque et surtout de ne toucher personne. Et voilà qu'à cause d'une paire de charentaises puantes, je me retrouve pestiférée, à devoir rentrer prématurément à l'internat.

Hasard ou coïncidence, c'est le moment que choisit Eduardo pour m'envoyer un smiley. Son souriant clin d'œil tombe bien à propos et m'accompagne jusqu'au guichet de la pharmacie. Je me retourne trois fois pour vérifier qu'il n'y a personne derrière moi avant de bredouiller :

— Un test de grossesse, s'il vous plaît.

Moi qui avais évité de le prononcer toute la journée, ce mot me fait l'effet d'une bombe à retardement. Je me fissure de l'intérieur. Pourquoi cette femme en blouse serait-elle la première dans la confidence ? Avant Matthieu ? C'est absurde.

Le regard fuyant, je me retourne encore trois fois avant d'engouffrer le paquet dans mon sac.

Voilà quelques minutes que le bâton trône sur ma table de nuit et que je n'ose le regarder. La notice était claire, limite trop. Croix bleue : haricot. Trait bleu : pas de haricot.

Là, maintenant, je voudrais bien un autre petit smiley pour me sentir moins seule.

Le ficus devant la fenêtre vient de perdre sa dernière feuille. Je continue à l'arroser et à lui rendre un semblant de vie en accrochant des photos aux branches sèches et tortueuses. Les pinces à linge colorées lui donnent un faux air d'arbre de Noël. Je m'attarde sur ce portrait de Matthieu en noir et blanc. Le grand absent. Ses yeux sérieux et pénétrants me font l'effet d'une nuée de smileys et me donnent le courage nécessaire.

Je m'approche doucement en coupant ma respiration.

Pas de doute à avoir.
Croix bleue.
Je le savais, de toute façon.
Haricot.
La fin des haricots ?

10

La paire de charentaises

Marie-Lou

✓ *Messages de Matthieu : 0. Nombre de fois où j'ai regardé : 0. Triste.*

✓ *Nombre de semaines depuis son départ : 3. Et le haricot, combien de semaines ?*

✓ *Temps passé à détailler les chaussons dans la vitrine de la pharmacie : 30 minutes. Où étaient-elles, les charentaises fourrées à carreaux ? Les 100 % françaises aux semelles de feutre ?*

✓ *Temps passé devant le comptoir à faire mon choix : 15 minutes. 3 fois plus que pour acheter un test de grossesse ! J'ai épluché tout le catalogue avant d'opter pour les pantoufles de diabétiques à doubles attaches. Pourquoi celles-là ? Pourquoi pas ?*

Le lundi soir, dans le planning de notre colonie «sans vacances», c'est repos. Enfin, cela n'empêche pas

Marie d'organiser des activités de dernière minute et d'aller frapper aux portes pour réunir les troupes.

— Apéro! avait-elle crié en tambourinant en enfilade avant de finir devant chez moi.

La sortie au bistrot du quartier, de loin la plus prisée pour bien démarrer la semaine, s'avère compromise. La croix bleue qui clignotait au-dessus de ma tête est devenue ma priorité. Que vais-je faire de ce haricot? Le genre de décision qui se prend à deux. Je tourne en rond. Essaye à de multiples reprises d'appeler Matthieu, sans succès. Lis et relis les différentes méthodes d'I.V.G. Bute sur la phrase «en cas de grossesse non désirée». Non désirée? Plutôt pas envisagée du tout. Chaque jour, l'I.V.G. sauve des femmes, j'en reste persuadée. Dans leur cas, c'est la seule Issue qui Vous empêche de tout Gâcher. Mais dans le mien? Dans le nôtre? Qu'est-ce qui nous empêche de l'accueillir, ce haricot? Les humeurs d'ours mal léché de Matthieu? Notre vie d'étudiants nomades avec ces zones de turbulences? Doit-on toujours tout planifier dans la vie? Choisir le bon moment? Le plus confortable? Dans notre cas, n'est-ce pas juste l'Imprévue Vérité de deux Gamins? L'autre Gamin, lui, s'est perdu sous les tropiques, mais il va bien revenir un jour... Faute de pouvoir lui parler, je lui écris des messages. Des mots doux pour ne pas l'effrayer. Puis je pleure le trop-plein d'émotions, pleure comme une Gamine.

— Merde, t'as vu ta tronche?

Marie est entrée. Elle a ce pouvoir-là, la présidente. Lorsqu'elle m'a découverte assise par terre aux pieds de mon lit, les yeux rougis et humides, la croix bleue posée sur mes genoux, elle a tout de suite lancé le plan de solidarité féminine. L'apéro se transforme en opération « sit-in » sur mon lino. Farah a rappliqué, puis Anna, le temps de faire la route. Chacune a apporté sa dose de remontant : un saucisson fumé pour me rappeler le pays, un paquet de guimauves pour le plaisir de mastiquer, un paquet de chips au vinaigre pour l'haleine, une boîte d'After Eight parce que j'adore ça. Le principe, c'est qu'il n'y a pas d'ordre, on peut tout mélanger. Tout se dire, rien ne sortira de cette pièce.

Mes amies font bloc autour de moi, elles essaient de me soutenir, de m'aider à y voir plus clair. C'est touchant, mais raté. Le sujet électrise tellement Marie qu'elle n'arrive pas à en placer une. Quel label nous sort-elle ce soir ? Le féministe ?

— Comment ça, tu ne sais pas si tu vas le garder ? *Elle s'est levée d'un bond, des marshmallows plein la bouche.* Réveille-toi ! C'est toi et toi seule qui vas te retrouver dans la merde. Pas lui.

Anna s'interpose, en enfournant elle aussi une poignée de guimauves :

— Pourquoi partir du principe que Matthieu ne va forcément pas assumer ?

Farah suit, les joues tout aussi déformées :

— C'est vrai, les absents ont toujours tort, mais quand même…

Sur ce, j'ai fini le paquet et les larmes se remettent à couler. La présidente baisse d'un ton :

— Quelle fille n'a pas eu d'I.V.G. de nos jours, hein ? Farah ?

— Euh, non… Pas moi, bredouille-t-elle en rougissant.

— Anna… Dis-lui, t'en es à combien, toi ? Trois, quatre ?

— N'exagère pas… Deux.

— Et voilà ! tranche-t-elle en souriant d'un air victorieux.

Elle est où, la télécommande pour la mettre en mode pause ?

— Et ta carrière universitaire ? Tu y as pensé ?

— Je n'ai jamais aspiré à être professeure.

— Eh bien, t'as tort ! T'es brillante, ma vieille !

— Merci.

Avec elle, les compliments sont toujours bons à prendre.

— Et il n'y a pas que ça. Va retrouver un mec en étant mère célibataire.

— Marie !

Anna postillonne des miettes de chips, Farah sourit.

Le vinaigre commence à me piquer la langue, tout comme cette discussion.

— Quoi ? Qu'est-ce que j'ai dit ? Je peux vous assurer que j'en vois défiler au planning familial. De tous les milieux et de tous les âges ! Et c'est souvent comme cela que ça se termine.

— Dehors !

J'ai crié. Ça m'a fait du bien. Plus que les larmes.

— Dehors, j'ai dit !

Je les entend s'écharper dans le couloir, Farah s'indigner, Anna soupirer, Marie protester plus mollement.

— Non vraiment, les filles… Matthieu, c'est un fantasme. Le genre de mec avec qui tu rêves de jouer au docteur, de l'enjamber par surprise et…

— Ça va, Marie, je pense qu'on a compris le concept.

Puis, plus rien. Le silence. Et là, enfin, je réussis à sourire.

— Tenez.

— Des nouveaux chaussons ? Pourquoi ?

Davy Crockett me regarde d'un air gêné, pas habitué aux cadeaux.

— Pour me faire pardonner.

— De quoi ?

— De rien. Vous êtes diabétique ?

— Non.

— Tant pis.

— Pourquoi ?

— Oubliez ça… Comment allez-vous ?

— Mal… J'ai très mal à la tête.

Aucune grimace, un visage paisible, reposé de la nuit.

— Sur une échelle de zéro à dix ?

— Dix.

— Le maximum ? Tous les examens sont normaux pourtant.

— Mince.

— Vous n'êtes pas content ?

— Si, mais j'aimerais qu'on mette un nom sur mon problème.

— Céphalées de tension, voilà le nom.

— C'est grave ?

— Non, mais ce n'est pas facile à traiter. C'est souvent lié au stress.

— Ou à la solitude ? *Mon regard se veut compatissant, il baisse les yeux.* Vous n'allez quand même pas me faire rentrer chez moi, docteur ?

— Non, pas aujourd'hui.

— Ah ! Vous m'avez fait peur.

Je me souviens de ce premier jour de stage, quand Farah m'avait expliqué la méthode « Cédric Breton ». Ses patients qu'il dorlote avant qu'ils rentrent chez eux. La qualité du soin avant la rentabilité. Je suis en train de l'adopter. Mon petit protégé n'a peut-être plus rien à faire à l'hôpital, mais je vais tout de même le garder quelques jours de plus. Sa moumoute est désormais lavée et peignée sur sa tête, ses pantoufles toutes propres et son sourire radieux. N'est-ce pas un bon début ?

11

La chair égoïste

Matthieu

La pharmacie Madec est vide. Cruellement vide. À tel point qu'on utilise des mouchoirs au lieu des compresses et de l'eau-de-vie comme antiseptique. Sur un Mafatais – habitué au système D –, passe encore, mais sur une randonneuse du dimanche un peu douillette, on a frôlé le scandale.

— On n'est plus au Moyen Âge ! a-t-elle gémi en recouvrant sa jambe égratignée au cas où le Doc' se jetterait sur elle avec un scalpel.

— Je n'ai jamais soigné personne de force, lui a-t-il rétorqué avec un sourire provocateur en se servant au passage une petite rasade de gnôle.

Le style Madec n'a pas manqué de faire glousser la belle qui – loin d'être insensible au charme sauvage du paternel – a fini par étendre sa cuisse sans broncher et réclamer sa photo bras dessus, bras dessous avant de partir. Les femmes sont pleines de contradictions.

— Demain, on descendra recharger les armoires,

a déclaré le Doc' avec une pointe d'amusement en la regardant tourner des fesses, un gros scotch enroulé autour de sa jambe en guise de pansement.

J'enjambe les rochers de la rivière des Galets avec des images plein la tête et l'impression que cela fait une éternité. Souvenir ou reviviscence, le visage fourbe d'Eduardo vient se refléter dans l'eau pour me rappeler tout ce qui a pu se passer en deux semaines. Il ne perd rien pour attendre, celui-là, et le caillou que je lui lance à la volée le dissipe sans une éclaboussure. J'enrage. L'effet tranquillisant des montagnes disparaît à mesure que je retrouve la civilisation faite de rues bruyantes, de couleurs criardes, de piétons trop nombreux. Ces bipèdes bruns, bronzés, au profil aquilin, ressemblent étrangement à... Eduardo. Encore lui.

À travers la vitrine, mon père – en pleine opération séduction avec la pharmacienne – s'apprête à lui dévaliser ses rayons. Il vient de contourner les têtes de gondoles remplies de plantes amincissantes, drainantes et rajeunissantes pour faire lui-même son marché derrière le comptoir. La dame en blanc ne semble pas s'en étonner. Le Doc' n'est-il pas connu pour aller droit à l'essentiel ? Son kit de survie – comme il dit – gagnera Mafate dès demain matin par hélicoptère. Je me demande vraiment comment ils pourront se passer de lui après son départ. Et pourtant je n'ai pas rêvé, il m'a bien dit qu'il l'envisageait. Une phrase à demi-mot, comme il sait si bien faire.

Mon portable vibre dans ma poche et me rappelle

à l'ordre. Et si le moment était venu de tester le réseau téléphonique ?

Cinq briques. *Waouh, incroyable ! Vive la technologie !*

Quinze appels en absence. *Limite déçu.* Un par jour en moyenne. Mais corrélé au fait que tout le monde était prévenu de mon départ, c'est énorme.

Anna, deux. *Peut mieux faire.* Ma cousine est une vraie sangsue quand elle a un service à me demander. Changer une ampoule, réparer la chasse d'eau… Je suis son homme à tout faire. L'officiel. Pas ceux qu'elle considère comme des jouets jetables après usage. Ceux-là, elle ne leur demande jamais rien. Et Eduardo ? Dans quelle catégorie va-t-elle le placer ? Pourvu qu'il soit un peu bricoleur, celui-là.

Josic, un. *Ne peut pas mieux faire.* Voilà un adepte de l'économie de salive. Pourquoi communiquer à distance si tout va bien ? Depuis qu'il s'est installé sur l'île de Groix après sa cure de sevrage, mon ami mène une petite vie tranquille, loin des contrariétés. Une convalescence qui se prolonge bien au chaud dans ma petite maison de famille. Enfin, celle que mon père lui prête gracieusement sans le savoir. Mon oncle Charly veille sur lui et s'étonne chaque jour de sa non-activité.

— Une sorte de coma vigile, c'est étrange.

— Hum… La norme n'est pas faite pour Josic, l'avais-je rassuré. Laisse venir…

Qui sait ? Cet appel en absence est peut-être son premier signe de réveil…

Brigitte, deux. *Elle ne peut pas s'en empêcher. Mais je la trouve plutôt raisonnable.* Que son fils lui fasse l'affront de retrouver l'homme qui l'a lâchement abandonnée a été difficile à digérer. Mais qu'il ne donne aucune nouvelle depuis deux semaines, là, c'est inadmissible. Surtout qu'elle meurt d'envie de savoir ce qu'il est devenu, le traître. Celui dont elle ne prononce plus le nom depuis trois ans et qui – en ce moment – se demande s'il va vider le stock d'antiseptiques, ou continuer avec sa bonne vieille gnôle. À mon grand étonnement, je vois qu'il opte pour la sagesse en attrapant sur la pointe des pieds les flacons de Biseptine. Tout à l'heure, j'appellerai Brigitte.

Marie-Lou, dix. *Normal. Rassurant qu'elle veuille prendre de mes nouvelles. Sauf que...* Pourquoi tous ses appels ont-ils été émis le même jour ? À quelques minutes d'intervalle ? *Anormal. Inquiétant.* Ce n'est pas comme si elle s'était pas déjà fait agresser par un fou furieux. Qu'elle m'avait pas laissé un message sur mon portable quand il était en train de la courser. Que j'étais arrivé trop tard... Souvenir insupportable. Frisson qui me traverse le corps.

Dix appels suivis tout de suite de trois SMS. Le premier qui s'affiche sur l'écran me fait l'effet d'un coup de poing.

Une seule seconde m'a dédoublée ;
Croix bleue, test positif.

Le genre d'uppercut frappant derrière un poing dressé. Celui qu'on ne voit pas arriver alors qu'on l'a vraiment cherché. Quel con. Je clique sur le message suivant en coupant ma respiration.

Plus bille que ballon,
Plus grain que bille,
Faut-il attendre que mon ventre soit rond ?

Ça se précise. *QUEL CON !* Je m'adosse au poteau
où clignote une affreuse croix verte. L'image du ballon
qui grossit vient me hanter, son ventre prêt à éclater, et
je clique à nouveau.

Cela niche
Sans vertige, ni nausées
Dans les mailles de ma chair égoïste.
Je croyais qu'elle était seule au monde
Et maintenant j'apprends qu'on coexiste.

Un poème ? À quoi ça rime ? Ça ne rime même pas.
Mon dos glisse le long du métal froid. Il fait trente-
cinq degrés à l'ombre, et je frissonne sous le soleil brû-
lant. Et j'ai envie de hurler derrière mes lèvres soudées.
Sa voix douce et hésitante me parvient comme dans
un rêve. Lointaine et planante. Je réalise alors que mon
doigt était resté appuyé.
— Allô ? Allô ?
— …
Cette bille… elle niche… ronde et égoïste…
— Matthieu ?
— …
Seule… dans la chair…
— Matthieu ?
— …
Vertiges… nausées…
— Dis quelque chose… Je t'entends respirer.

Je ravale ma salive en approchant le combiné et murmure :

— J'apprends qu'on coexiste.

— Bonjour, Matthieu…

— Bon…jour… C'est quoi, cette prose ?

— Une manière d'arrondir les angles.

— Arrondir ? Comment ça ?

— Matthieu… Je suis enceinte.

— …

Que lui répondre ? Je me souviens du besoin animal, vital de lui faire l'amour. Sans penser à rien d'autre. À rien. Surtout pas à se protéger. Ne m'avait-elle pas dit qu'elle prenait la pilule ? Je ferme les yeux et ça en est presque douloureux. Je l'imagine, je la sens, je la vois pleurer jusqu'au silence. Lourd et oppressant.

— Marie-Lou ? Marie-Lou ?

Quel con.

Elle a déjà raccroché. J'ai beau la rappeler, je tombe tout de suite sur son répondeur. Les cinq briques me narguent en haut de l'écran. Si au moins le réseau pouvait expliquer son silence. Elle est enceinte parce qu'elle est fâchée contre moi. Elle est fâchée contre moi parce qu'elle est enceinte. Ça ne tourne pas rond dans ma tête. Enfin si, tout se met à tourner, et je préfère garder les yeux fermés.

12

Le cerf-volant

Marie-Lou

✓ *Durée d'un glissement de pouce sur un écran de téléphone : un quart de seconde.*
✓ *Nombre de fois où j'ai regretté ce geste : 1. Chaque seconde.*
✓ *Combien de temps suis-je restée assise sur le canapé du salon ? Le temps que mon assiette refroidisse. Tant pis. Je n'avais plus faim.*
✓ *« C'était qui ? » Nombre de fois où Farah l'a répété quand je suis revenue m'asseoir en face d'elle : 10. Je n'ai pas répondu. Les perles au coin des yeux l'ont fait pour moi.*

Étonnant comme les silences engendrent les silences. Le mien s'est prolongé pendant tout le repas, noyé dans le brouhaha des conversations, le bruit des couverts, les rebonds de la balle de ping-pong dans la salle d'à côté et les cris des joueurs. Égoïstement, j'ai eu besoin de ce cocon pour débriefer intérieurement. Il n'y avait pas eu d'échange, juste un monologue avec sa voix grave qui faisait écho. Dois-je vraiment m'en étonner ? Comment Matthieu pouvait-il réagir autrement ? Quand on le prend par surprise, il réagit toujours de la même manière : le mutisme ou la fuite. Et vu qu'il se trouve déjà à des milliers de kilomètres, il n'a pas eu d'autre option que de se taire.

Étonnant comme les silences se chargent en émotions et mettent les sens en éveil. Je me souvenais du poids qui serrait ma poitrine, de l'odeur de friture qui imprégnait le tissu du canapé, du rythme de sa respiration. Qu'y avait-il derrière ? De la peur ? Du rejet ? Les deux, peut-être ?

À mon entrée dans le service, Cédric Breton me sort de ma bulle :

— Tu as des nouvelles de notre…

— Non, je le coupe d'un geste de la main, pas disposée à entendre sa litanie habituelle.

Il repart, les épaules courbées, en grommelant en anglais. L'homme aux charentaises, qui fait les cent pas dans le couloir, le regarde d'un air surpris avant de se tourner vers moi :

— Docteur, je peux vous poser une question ?

Là, maintenant ? Je me suis retenue de lui sortir la même réponse expéditive qu'à mon chef.

— Oui.

— Est-ce normal d'avoir un cerf-volant quand on a mal à la tête ?

Je fronce les sourcils :

— Un cerf-volant ? *Il opine du chef, et sa moumoute se met à danser sur sa tête.* Vous voulez dire : quand il y a du vent ? Vous avez mal à la tête quand il y a du vent ?

Si sa phrase m'a semblé bizarre, la mienne l'est encore plus. Le sol tangue sous mes pieds et me donne la nausée.

— Ha ha ha ! Ce n'est pas gentil de vous moquer de moi, docteur mais j'avoue qu'elle est drôle, votre blague. Je la ressortirai.

Drôle ? Suis-je réellement capable de l'être ?

Sans comprendre, j'interroge Farah du regard. C'est là qu'elle lève les yeux au ciel en venant à ma rescousse :

— Elle est bonne, hein ? On la ressort à chaque fois s'esclaffe-t-elle. En tout cas, votre question est très pertinente. La douleur diminue les capacités attentionnelles et les facultés de concentration. Alors oui, c'est tout à fait normal d'avoir l'impression que votre CERVEAU est plus LENT.

Elle parle plus fort et plus distinctement – comme si c'était la mienne de cervelle qui était ralentie – et attend que le patient tourne les talons pour ajouter :

— Alors toi, si tu veux un conseil, ne travaille pas cet après-midi. Tes malades s'en porteront mieux.

— Sympa.

— Non, sérieusement, tu n'es pas dans ton état normal.

Et je lui donne raison quelques minutes plus tard, quand elle me surprend en train de mastiquer une boulette de coton qui traînait sur mon bureau. Je voulais savoir l'effet que cela faisait. Antistress ? Euphorisant ? Stimulant ? Non. Absolument détestable ! À m'en donner des frissons ! Les fibres ont glissé et grincé sur l'émail de mes dents avant de se ramollir et de devenir pâteuses.

— Alors là, tu m'inquiètes ! pouffe ma co-interne, les mains sur les hanches. *Et moi de lui sourire, la joue déformée par mon drôle de chewing-gum.* Quand tu auras fini tes expériences, que penses-tu d'aller à la plage ?

— À la plage ? Et le service ?

— Cédric est d'accord, je viens de lui demander. Il nous attend à dix-huit heures pour la C.V.[1] Bertrand est en repos de garde et il avait prévu d'aller surfer à la Torche, ça te dit de l'accompagner ?

— C'est gentil, mais…

— Marie-Lou, ça va te faire du bien ! Tu as besoin d'un break, et l'air de la mer, ça aide à réfléchir.

— C'est tout réfléchi, je réponds dans un soupir.

Quand j'aperçois les dunes immenses et les oyats danser sur le sable, la tension du jour s'envole et rejoint les voiles de kitesurf qui colorent le ciel.

— Magnifique ! Pourquoi ne pas m'y avoir amenée plus tôt ?

— Râleuse ! me souffle Bertrand en courant déjà vers la mer, son surf sous le bras.

Farah arbore le sourire satisfait de celle qui « l'avait bien dit » et m'invite à la suivre.

Depuis mon arrivée à Quimper, je n'ai aperçu la mer qu'en coup de vent : la plage de Trez de Bénodet sous

---

1. Contre-visite.

les fenêtres de Brigitte, la rade de Brest le temps d'un week-end. M'asseoir sur le sable et regarder l'horizon. Pourquoi n'avoir pas pris le temps de m'adonner à ce plaisir simple, plus efficace sur moi qu'une séance de relaxation ou de sophrologie ? Quelle erreur ! Rien de tel que de projeter le regard vers l'infini pour se vider la tête.

— Farah, crois-tu qu'on est en train de devenir de vraies Bretonnes ?

— Bien sûr, notre transformation est en cours. Tu as passé avec brio le premier niveau : le ciré jaune ! *Elle me tire sur la manche pour appuyer son propos.* L'étape suivante serait d'enfiler une combinaison et d'aller surfer en plein mois de novembre !

— Hou là ! Tu sous-entends qu'il ne faut pas être frileux pour être breton ?

— À ce qu'il paraît.

Le vent nous fouette le visage et nous pique les yeux quand on longe la plage. Le soleil d'automne commence déjà à décliner et fait scintiller l'écume sur le rivage. On y voit comme une invitation à retrousser nos pantalons pour y plonger nos orteils. C'est froid et vivifiant. Farah sautille dans l'eau en gloussant.

— Matthieu t'a dit qu'il ne voulait pas le garder ?

Je ne m'attendais pas à cette question – en tout cas, pas maintenant – et j'hésite un moment avant de lui répondre.

— Non.

— Il a mal réagi ?

— …

— S'est mis en colère ?

Je ne peux m'empêcher de me mordre la joue.

— Non… Il n'a rien dit.

— Rien ?

— À vrai dire, je ne lui ai pas laissé le temps.

Même pas la possibilité de me rappeler, j'ai éteint mon portable. Et si, de nous deux, c'était moi qui paniquais ? De quoi avoir peur ? Que les ondes déforment et laissent place aux malentendus ? Les rapports humains ont besoin de face-à-face. Pas le « Face Time » inodore et maladroit qui ne montre qu'une partie du puzzle. Non, le contact, le vrai. Le 360 degrés, en relief. Celui qui ne ment pas. S'il était là, je le verrais dans ses yeux multicolores. Le bleu qui acquiesce, le gris qui se ferme, le vert qui tente sa chance, l'éclair, le grain de folie. Mais il n'est pas là.

— Tu veux mon avis ? Laisse-lui digérer la nouvelle et ne prends pas de décision hâtive. Pas avant d'avoir eu une vraie discussion. Il est peut-être brut de décoffrage, ton homme, mais j'ai appris à le connaître. Fais-lui confiance.

— Tu crois ?

— J'en suis certaine, et ne laisse pas Marie te persuader du contraire !

Je penche ma tête sur son épaule.

— Merci.

— De rien, m'dame… Et un conseil : rallume ton téléphone !

On reste à regarder le spectacle : les pingouins en combinaison qui dansent en équilibre synchrone, le souffle des vagues qui déferlent en marches d'escalier et qui nous éclaboussent, la plainte lancinante d'un jeune goéland venu pigner à nos pieds. Nos pieds ? Rougis et anesthésiés, on les avait presque oubliés. Je les retrouve un peu plus tard – fourmillants et picotants sur les petits coquillages –, quand on remonte s'asseoir à l'abri du vent contre la dune. Farah recouvre nos jambes d'un plaid et me souffle à l'oreille :

— À mon tour d'avoir besoin de ton avis…

— T'es sûre ? Tu n'as pas peur après l'histoire du cerf-volant ?

Elle éclate de rire.

— Ah, si ! J'avais oublié ! M'étonnerait que tu me fasses la même réponse que tout à l'heure.

— J'en suis capable pourtant.

— Même si je n'ai pas mal à la tête ?

— Pourtant il y a beaucoup de vent !

— Attention, si tu m'embrouilles, je te dénonce à Cédric. Il ne sera certainement pas content d'apprendre que tu lui piques ses boulettes de coton.

Un coup de coude plus tard, elle change d'expression et d'un ton grave, m'expose sa nouvelle :

Et quel scoop !

— Bertrand m'a demandée en mariage.

— Farah, c'est génial ! Je suis si contente pour toi.

Elle se fige en regardant l'horizon.

— À vrai dire, je ne sais pas comment refuser.

— Quoi ?

— Je sais très bien pourquoi il précipite les choses et je ne veux pas me marier pour de mauvaises raisons. *De mauvaises… ? Elle voit que j'ai besoin d'explications.* Comme l'obtention de la double nationalité !

— Un mariage blanc ? Mais enfin, Bertrand tient à toi. Tant mieux, si ça facilite tes démarches, non ?

— Non, lâche-t-elle, catégorique. Depuis que je suis petite, on m'a toujours appris à ne compter que sur moi-même et à ne devoir rien à personne.

— T'es une guerrière, Farah.

— C'est cette image que tu as de moi ? Aussi dure ?

— Rassure-toi, c'est avec toi-même que tu es dure et exigeante.

— Bertrand n'arrête pas de me le répéter.

— Et il a raison ! Crois-moi, il est ce qui pouvait t'arriver de mieux. Fais-lui confiance. N'est-ce pas ce que tu m'as conseillé de faire avec Matthieu ?

— Tu me retournes le conseil, c'est ça ?

— L'effet boomerang, tu connais ? Beaucoup plus efficace et pertinent que le cerf-volant.

Elle sourit. *Victoire !* Puis son regard se porte sur la silhouette noire qui se redresse sur sa planche et surfe sur une vague avant de retomber dans la mousse. Elle soupire :

— Sérieusement, tu te marierais sans ta famille à tes côtés ? Ça n'a pas de sens.

Je frissonne.

— Non, ça n'en a pas. *Comment avancer ? Donner un sens à sa vie sans pouvoir partager son bonheur avec les siens ?* La voilà, la vraie raison. Pourquoi la cacher derrière la première ?

— Je n'aime pas en parler… Les questions au sujet de ma famille, de la guerre, ça me met mal à l'aise. Moi-même, j'ai bien du mal à comprendre le conflit. Je suis partie depuis trop longtemps. Je devrais être fière d'être syrienne et le crier sur tous les toits, c'est un pays magnifique. Mais en ce moment, je préfère me taire.

Sa sincérité est touchante et mes soucis futiles, comparés aux siens. J'aimerais qu'elle puisse connaître un peu d'insouciance et de légèreté. Comme celles des autres internes autour de nous. Ce n'est pas juste.

— Comment ça, tu es syrienne ? Je tombe des nues. Tu n'es pas bretonne ? Moi qui pensais que tu avais passé l'étape deux ?

Elle sourit à nouveau.

— C'est vrai ! Et j'ai fait du bodysurf, pas plus tard que la semaine dernière.

— Respect !

— Regarde Bertrand qui me fait des grands signes pour que je le rejoigne.

— Tu veux mon avis ? Pour lui, tu l'as déjà, la double nationalité.

Farah opine du chef avec des trémolos dans la voix :

— J'ai peur de le perdre.

— S'il t'aime, il comprendra.

Et cette phrase résonne dans ma tête jusqu'au lendemain matin.

13

La lampe frontale

Matthieu

Yann a attrapé mon téléphone qui venait de glisser entre mes doigts.

— C'était qui, Matthieu ?

— Je dois rentrer.

— Si tu avais des problèmes, tu me le dirais ?

J'ai recroquevillé ma tête entre mes deux genoux. Il s'est assis à côté de moi, trop près. Je n'avais pas envie de lui parler. Il ne la connaissait pas. Ne savait rien de toute façon. Je voulais qu'il remonte seul dans son trou. Ma vie est ailleurs.

— Dis-moi, tu n'as pas d'ennuis à cause de moi au moins ?

J'ai redressé la tête.

— Tu penses à quoi ? Tu peux m'expliquer ?

Il a reculé en marmonnant :

— C'était juste une question.

— Si tu crois que je n'ai pas senti que tu me cachais quelque chose… *Il avait écarquillé les yeux comme un enfant. Comme si je venais de le prendre en flagrant délit.* Non, ça ne te concerne pas.

— Tant mieux.

Ne pouvait-il pas me répondre autre chose ? Ce n'est pas parce que ça n'a rien à voir avec lui que ça ne compte pas.

— Dis-moi… Comment as-tu fait ? *Il a froncé les sourcils.* Pour réussir à te couper du monde pendant toutes ces années ? Comme si plus personne n'existait. Alors que moi… moi, il me faut trois semaines pour le regretter. Trois semaines, ai-je soupiré avant d'enfouir de nouveau ma tête.

Les jours suivants, je n'étais pas parti. Allez savoir pourquoi. Je descendais aux aurores dans la vallée, là où les briques réapparaissaient comme par magie sur l'écran de mon téléphone. De la rivière aux Galets, je remontais bredouille avec la résonance métallique de son répondeur. Aucun appel, aucun message. Seul le « t'es un gros connard de première » clignotait en lettres invisibles au-dessus de ma tête. Peut-être était-ce lui qui retardait mon départ. Peut-être pas. Elle veut le garder. Dans son poème, c'était marqué entre les lignes. Incrusté dans le son de sa voix. Marie-Lou aime les difficultés. La preuve, elle m'a choisi, moi.

Cette dernière réflexion m'a fait sourire en poussant le petit portail bleu. Mon père m'attendait, assis sur la première marche. Mon petit rituel du matin l'intriguait, mais il savait que je ne parlerais pas. Les chiens ne font pas des chats. Il m'a tendu une tasse de café fumante en m'interrogeant du regard, puis a baissé la tête, résigné.

— Je pensais que tu étais rentré en métropole, m'annonçait-il chaque matin.

— Sans dire au revoir ? Il n'y a que toi pour faire une chose pareille, lui répondais-je en soufflant sur le breuvage brûlant.

Partir, c'était comme l'abandonner à mon tour – lui et sa moue d'adolescent – avec l'impression d'oublier l'essentiel. L'essentiel, mais quoi ? J'étais coincé. Condamné à le ramener dans mes valises.

On venait de faire le plein à la pharmacie, et Yann s'est mis en tête de jouer les livreurs à domicile. Le programme s'étalait sur plusieurs jours : deux flacons d'antibiotiques à Aurère, un pulvérisateur de Ventoline dans la plaine des Tamarins, quatre boîtes d'antihypertenseurs à l'îlet des Orangers. On ne l'arrêtait plus, le cabri. Il était prévu qu'on termine par l'îlet à Bourse ravitailler M. Hoarau en feuilles de cannabis mais, lorsqu'on est arrivés devant sa case, le Créole s'était endormi pour de bon. Il reposait sur un drap mortuaire au milieu du salon. Paisible et maquillé. L'agonie avait pris fin dans la matinée, et la veillée funèbre venait de débuter autour de verres de rhum Charrette et de parties de dominos. Cela semblait tout naturel au Doc' de s'installer à une table avec la famille proche et de refaire le monde en levant le coude jusque tard dans la nuit. Alors, je l'ai suivi.

Quand on est redescendus, les nuages cachaient les étoiles, il n'y avait pas de lune pour nous éclairer. Yann m'a prêté sa lampe frontale, prétextant que lui connaissait le chemin par cœur, que chaque virage, chaque relief, il l'avait enregistré. Cela ne l'a pas empêché de trébucher à plusieurs reprises, les jambes coupées par le breuvage local, et j'ai fini par lui agripper le bras.

— Tu soutiens ton vieux père ?

— Mon vieux père bourré, tu veux dire ? Je n'ai pas très envie que tu te casses le col du fémur, là au milieu de nulle part.

Allez savoir pourquoi ? La proximité, l'obscurité, l'alcool. La langue du Doc' s'est déliée. D'un coup d'un seul. Comme un engrenage rouillé qu'on venait de dégripper.

— Dis Matthieu… Tu n'es pas en train de faire comme moi ?

— De quoi tu parles ?

À ce moment-là, il a ralenti.

— Fuir la réalité. Mafate a ce pouvoir-là.

J'ai mis une centaine de mètres à lui répondre. Le terrain était glissant.

— Non. J'ai juste besoin de temps pour réfléchir.

— Moi, ça m'a pris trois ans.

— Pour quoi ? Vas-tu me dire à la fin ce qui t'a fait fuir du jour au lendemain ?

Il a inspiré à fond, puis s'est appuyé plus lourdement. Le langage du corps. Son langage à lui. Comme si les secrets commençaient à lui peser.

— Si tu veux… Mais c'est donnant-donnant.

— Comment ça ?

Je l'ai ébloui avec ma lampe.

— Je ne vais quand même pas parler que de moi ?

— Pourquoi ? Si je te le demande.

Il a haussé les épaules.

— Et toi, tu me diras ce qui t'a donné envie de

rentrer précipitamment ? Ce qui te fait courir chaque matin ?

— Si tu veux, ça tient en une phrase. *Nouvel éblouissement*. Mais toi d'abord, crache le morceau.

— En une phrase ?

— Essaie.

On venait d'arriver devant le fameux portail. Il me faisait face, son visage éclairé par l'ampoule plaquée sur mon front.

— C'est compliqué. Les résumés, ça n'a jamais été mon truc.

— À qui le dis-tu…

— Attends, je réfléchis… En quelques mots ? C'est l'histoire de… Non, c'est trop long.

— Allez !

Et il a lâché sans reprendre sa respiration :

— Un.trafic.de.stupéfiants.et.une.attaque.à.main. armée. Voilà… Et toi ?

— Une attaque ? Quoi ? Tu me fais marcher ?

— Ben, non…

Pourquoi me sortait-il sa tête de petit garçon qui venait d'avouer une bêtise et qui le regrettait ?

— Ce n'est pas banal.

— Non, ça ne l'est pas… Et on a toute la nuit pour les détails, si tu veux ! Mais j'ai dit «donnant-donnant». À toi !

— En une phrase ?

— Si tu veux.

— Ma copine… *Il a ouvert de grands yeux scintillants.* Elle est enceinte.

— Marie-Lou ?

C'est là qu'il a essayé de baisser la tête, mais mon

faisceau l'a pris en filature. Marie-Lou ? Il avait bien dit Marie-Lou ?

— Comment… comment connais-tu son prénom ?

Cachait-il un espion en métropole ? Ou a-t-il juste volé mon téléphone pendant mon sommeil ? Je me sentais fatigué tout à coup. Cet homme – sous ses airs bienveillants – essayait-il de m'embrouiller ?

Sa grimace gênée en disait long sur les zones d'ombre à éclaircir. L'engrenage venait de dérailler, et Yann de perdre la parole. Je l'ai laissé en plan, lui et son synopsis de film d'action, bien décidé à reprendre notre discussion après une bonne nuit de sommeil.

Je me réveille avec une étrange vision : les pieds du Doc' collés au matelas. Un peu plus haut : ses yeux cernés en train de me fixer et un gros baluchon sur son dos.

— Tu viens ? On rentre, déclare-t-il posément.

Je cligne plusieurs fois : même image.

M. Hoarau. Fin du règne. Métropole. Marie-Lou. Grossesse. Trafic de stupéfiants.

Je cligne encore avant que l'information soit analysée.

— T'es sûr ?

Voilà qu'il me sourit.

— Tu veux rester à côté de ta vie ? Là, au milieu des plants de zamal ? Moi, non.

— Tu te fiches de moi ?

— Allez viens ! La p'tite nous attend.

— Nous ?

Un rictus sincère qui me défie.

Il est prêt.

À poser ses valises.

Retrouver son bateau, sa maison de Groix.

Renouer avec les siens.

Enfin.

Il acquiesce lentement puis m'aide à regrouper mes affaires.

Mission accomplie.

14

La règle des 28 jours

Pour Yann, la journée avait débuté comme les autres. Les premières consultations de la matinée – celles avant la tasse de café de dix heures – étaient plus molles et plus lentes. Une empathie lymphatique entrecoupée de quelques silences nécessaires. Mme Legoff ne se remettait pas de sa crise de foie de la veille, Mlle Letourneur s'était déplacé une vertèbre en soulevant son chien et avait mal aux reins. Autant d'expressions qui n'avaient aucune justification anatomique et qu'il ne prenait plus la peine de corriger. Elles se passaient de génération en génération – indélébiles – telles des lettres gravées dans le marbre, et il les aimait bien. Elles pimentaient ses consultations, comme les distorsions de mots fantaisistes plus touchantes les unes que les autres : les fluxions de poitrine, rhumes de cerveau, « polytes » du côlon et « infractus ». M. Kerjean, lui, c'était un autre problème. Il n'allait pas assez « au corps », bref une histoire de mécanique des tubes, façon patois breton, chez un constipé chronique qu'il connaissait depuis vingt ans. Pas assez pour le réveiller totalement.

Alors quand ce nouveau patient était entré avec

ses yeux cernés, sa peau crayeuse et ses cheveux en désordre, il avait commencé par bâiller en attrapant son crayon. Lorsque l'inconnu lui avait réclamé de fortes doses de morphine pour des douleurs d'épaule, il s'en était étonné et lui avait demandé s'il avait déjà passé des radios. Quelques instants plus tard, en se penchant pour l'examiner, la lame avait brillé dans sa main juste avant d'atterrir sous sa pomme d'Adam.

— Ne fais pas le malin ! l'avait-il menacé. Tu prescris ce que je te dicte et tu recommences dans vingt-huit jours sans discuter. La semaine prochaine, mon pote te demandera la même chose. Si tu caftes, on saura te le faire payer, crois-moi.

Vingt-huit jours. C'était la durée maximale autorisée d'une prescription de produits stupéfiants. Cet homme était un connaisseur.

Yann avait soupiré en silence, sans oser déglutir, pour éviter de mobiliser sa pomme d'Adam sur le tranchant du couteau. L'homme tendait les muscles de son cou en entrouvrant sa bouche d'un air guerrier.

À ce moment, lui était revenue la discussion houleuse qu'il avait eue avec Tom, son ami de toujours. Celle qui les avait éloignés depuis quelques années.

«Réveille-toi, mon vieux. Il y a deux types de mecs, Yann. Ceux qui s'évertuent à pisser debout et à en mettre partout. *Ceux-là lui diraient d'aller se faire voir et se la joueraient justiciers. Quitte à ce qu'il y ait de la casse.* Et il y a ceux qui pissent assis, sans prise de risques, pour le confort, en remballant leur fierté.»

Il pissait assis, et ce, depuis plusieurs années. Il n'avait pas osé le lui avouer. La raison guidait sa vie.

— Très bien, très bien, s'était-il entendu murmurer.

Puis il s'était autorisé à lâcher du lest et à déglutir. Son stylo avait obtempéré sans qu'il ait à prononcer un seul mot, et il avait prescrit des doses à rendre comateux le commun des mortels. Des doses qui lui avaient donné la nausée et détruit le peu d'estime de lui qu'il lui restait.

15

Je ne suis pas une poule !

Marie-Lou

✓ *Émoticône du jour ? := ? Pensive.*
✓ *Portable toujours éteint = Hermétique aux conseils = Plus de signal = Coupée du monde. Jusqu'à quand ?*
✓ *I.V.G. = Trois lettres pour en cacher le sens = Seule Issue si je ne Veux pas tout Gâcher = Marie avait raison.*
✓ London, *de Benjamin Clementine. Nombre de fois où j'écoute cette chanson ? 15. Par jour ! Sa voix grave et vibrante me fait l'effet d'un paquet d'After Eight. En beaucoup plus diététique !*

Les pieds devant et à l'horizontale, je rentre au bloc opératoire où Marie m'attend avec son aspirateur. Étrange et angoissante sensation. La charlotte qui me couvre la tête commence à me gratter le front. Il y a ce courant d'air frais qui arrive dans mes narines sans même que je fasse l'effort d'inspirer. Et puis cette impression de flotter au-dessus du brancard et d'avoir les yeux qui se ferment. Je me réveille en sursaut. Ce n'était qu'un rêve.

En me levant, je remarque une série de Polaroids qui pend sur les branches du ficus. Ils ont été disposés dans la nuit. La présidente aurait-elle le pouvoir d'entrer à la dérobée et de décorer ma chambre en pleine nuit ? La preuve au bout de ces pinces à linge. Pour se faire pardonner, la Femen s'est photographiée torse nu, des lettres noires peintes sur la poitrine. Sur chaque cliché, une inscription différente et son lot de grimaces. Un sourire forcé pour « Un esprit libre dans un corps libre » un froncement de sourcils résolu pour « Mon corps, mon choix » et enfin une mine contrite pour « J'en fais toujours trop, désolée ». Opération réussie, cette fille est aussi extravagante qu'adorable.

Je la trouve en bas, assise à la même place, l'oreille collée à son poste de radio avec une bouille de petite fille fautive. Je déroge à la règle en lui adressant la parole :

— Salut… Je peux te demander un service ?

Sans que j'aie besoin d'en dire plus, elle répond :

— Viens me voir en gynéco vers 18 h 30, je te ferai une écho.

La Femen serait-elle télépathe ?

C'est la main plaquée sur mon bas-ventre que j'entre dans le service. Je ne m'en étais pas rendu compte jusqu'au moment où mes yeux croisent ceux du marabout. Peut-être n'aurait-il rien remarqué si je n'avais pas brusquement écarté mon bras en rougissant de la tête aux pieds…

— Hum… s'éclaircit-il la voix pour analyser la nouvelle.

Et ça fuse dans sa boîte crânienne. Pas besoin de long discours.

Grossesse. Congé maternité. Pas d'interne. Grosse, grosse contrariété. Big problem !

Et deux boules de coton d'un coup. Puis il raccroche avec le réel et commence à pousser le chariot.

— Bon… Marie-Lou… Si on sauvait des vies, aujourd'hui ?

Je lui souris.

— On commence par qui ?

La chambre 58 ? Celle de Davy Crockett. Facile, mon petit protégé s'est guéri tout seul ! Pas besoin de traitement, juste le va-et-vient incessant du monde hospitalier comme remède contre la solitude. À tel point qu'on a dû le recadrer : non, les aides-soignantes n'étaient pas tenues de lui laver le dos au gant chaque matin. Non, il n'irait pas tous les après-midi en salle de gym faire du vélo. L'orthophoniste était peut-être très jolie, mais non, il n'avait pas besoin de ses services. Et comme par magie, ses maux de tête se sont envolés, comme un cerf-volant dont on déroule le fil petit à petit. Après de multiples tergiversations et quelques nœuds dans la corde, ce midi, il s'est décidé à rentrer chez lui. Victoire !

Le patient de la 56 ? C'est plus compliqué. Comme personne n'a encore trouvé de traitement contre la maladie d'Alzheimer, on a tablé sur la méthode « Breton ». Les petits riens qui, bout à bout, font l'essentiel. Un poster géant affiché sur le mur avec les photos de toute sa famille. Une petite chaîne hi-fi sur sa table de nuit qui passe en boucle les chansons du vénéré Aznavour. Un régime hypercalorique hypersucré et hyperdéraisonnable. Un fauteuil tout confort inclinable à têtière en mousse avec accoudoirs rembourrés. Dans l'attente de quoi ? D'une place en maison de retraite, faute de mieux. Là où la chaudière à gaz ne risque pas d'exploser. Où les voisins ne doivent pas appeler les pompiers. Où la porte d'entrée reste fermée à clé. Pas de miracle, juste un sourire béat qui traverse la pièce. N'est-ce pas là notre petite victoire ?

La 60 ? Un cas particulier, complexe à sa manière, où ce n'est pas la patiente qu'il faut guérir mais le mari. Sa femme – ou devrais-je dire sa « puce » – n'a pas de maladie neurologique. Son seul problème – certes incurable : celui de vieillir et contre ça, on n'a pas de solution. Monsieur est difficile à convaincre. Comment lui expliquer que les séances de Botox trop près des sourcils peuvent faire tomber les paupières ? Et dans les joues, affaisser le coin de ses lèvres et faire couler la salive ? Comment lui dire que son « bichon » n'a pas fait un A.V.C. ? Que son « trésor » retrouvera son visage de poupée dans quelques semaines, une fois le produit éliminé ? D'ici là, il faut qu'il prenne son mal en patience. Qu'il lui donne à manger à la petite cuillère et qu'il lui tienne le bras pour marcher. Plus inquiet pour le calendrier de leurs mondanités que pour l'état de santé de sa femme, l'époux s'informe au passage :

— Et que penser des injections d'acide hyaluronique, docteur ? N'est-ce pas moins dangereux ?

Le marabout en reste bouche bée. Voilà bien une question qu'il ne s'est jamais posée.

— Et les massages à la graisse de phoque ? Vous y avez pensé ?

Il ressort de la chambre le sourire aux lèvres, satisfait de sa réplique. Je ne l'ai jamais vu aussi décontracté, à l'humeur farceuse. Une facette de courte durée :

— Docteur Breton ? Téléphone ! L'urgentiste qui vous demande... Il y a une alerte « thrombolyse ».

Son visage se décompose en même temps que son corps fléchit et que son langage s'anglicise :

— *Time is brain... Go ! Go ! Go !*

Et toutes affaires cessantes, il m'embarque avec lui.

Localisé au niveau de l'artère cérébrale moyenne gauche, l'A.V.C. touche l'aire du langage. M. Baron, soixante-douze ans, était à la boulangerie quand les troubles ont débuté. Dans l'incapacité de commander son habituelle brioche au sucre et sa demi-baguette, la commerçante s'est inquiétée et a eu le bon réflexe : « Allô, le 15 ? »

En arrivant aux urgences, le pauvre homme cherche encore ses mots, seules quelques syllabes dédoublées sortent de sa bouche. Des « tan-tan », des « to-to », des « la-la ». Ça l'énerve et il s'agite sur son brancard, tout comme mon chef devant l'infirmière qui prépare le produit :

— *Time is brain... Go ! Go ! Go !*

Drôle d'impression quand le « go-go-go » répond aux « La-la-la ». Dans quel pays sommes-nous ?

L'après-midi, le monsieur aux « tan-to-la » intègre la chambre 58, celle des patients qui guérissent tout seuls. Espérons que ça lui porte chance, car pour l'instant, il n'y a aucune amélioration. Seule sa carte d'identité trouvée dans son portefeüille lui a attribué un nom, un âge et une adresse. Mais qui est-il vraiment ? A-t-il une famille à prévenir ? Je me transforme en agent de police et commence à mener mon enquête. La boulangère – le premier maillon de la chaîne – ne sait pas grand-chose. Elle le suppose veuf. Des enfants ? Elle n'en a pas notion mais m'apprend l'existence d'un club de bridge dont il serait membre. Son président ? Il m'affirme qu'il n'a pas de descendance. Des frères et sœurs ? Il ne pense pas. Un ami proche ? Lui. Me voilà bien avancée ! Lorsque j'essaie à nouveau de lui poser des questions sur son entourage, l'homme mystérieux se met à rougir et à gigoter dans son lit en battant des mains. Quelle angoisse d'avoir un mur devant la bouche ! Pas la peine de le stresser davantage, ça attendra demain.

J'arrive en retard en gynécologie, les cheveux en pagaille, sans avoir trop eu le temps d'y penser. Suis-je bien sûre de vouloir mettre une image – autre qu'une croix bleue – sur ma situation ? Et si je m'attachais au petit haricot dès qu'il apparaîtra sur l'écran ? À cette idée, je ralentis le pas.

Le rire rocailleux de Marie me guide jusqu'au fond du couloir. Je la trouve les pieds sur la table, dans son pyjama de bloc, une tasse de thé fumante à la main. Le bel infirmier qui lui fait face, avec sa longue mèche de surfeur qui lui barre le front, serait-il un adepte du repassage lui aussi ? La princesse lui envoie un baiser du bout des doigts avant de quitter la pièce.

Quand on passe les portes du planning familial, je la questionne du regard.

— T'inquiète, à cette heure-ci, il n'y a personne.

Je bloque devant un poster sur l'I.V.G., Marie commente :

— Si finalement tu te décides, une de nos conseillères te recevra en entretien, puis on te laissera un délai de réflexion d'une dizaine de jours.

Dix jours ? S'il ne revient pas, à quoi bon me laisser mariner plus longtemps ?

— Hé, détends-toi ! Aujourd'hui, je ne fais que regarder... Tu pleures ?

— Excuse-moi. Je suis un peu à fleur de peau... Les hormones, sans doute.

La présidente souffle sur sa sonde comme si elle dégainait un pistolet. Elle cherche à me faire sourire. En vain. Les jambes sur les étriers et les mains crispées sur les accoudoirs, je ferme les yeux, sa voix me parvient juste après :

— Ah...

Je n'aime pas ce «Ah». Je préfère les «Ha» ! Comme si la place du «h» avait son importance.

— Quoi ?

— Eh bien...

Elle hésite.

— Accouche !

— Euh... là, c'est bien trop tôt.

— Arrête tes blagues et dis-moi ce que tu vois.

— Je vois un sac, mais...

— Un sac de quoi ? De haricots ?

— Ben non, justement. Le sac embryonnaire est vide. Pas de haricot.

— Tu veux dire que je fais une grossesse nerveuse ?

— Non, plutôt qu'elle s'est interrompue. La nature a tranché. C'est un œuf clair, si tu préfères.

— Un œuf clair ? *Non, je ne préfère pas.* Je ne suis pas une poule !

Je me lève brusquement en regardant le clair-obscur figé sur l'écran. Un œuf clair ? Si elle pouvait éviter d'utiliser ce genre de termes ! Pourquoi vulgariser entre collègues ? Si elle avait mal à la tête, je dirais céphalée ! Au dos, rachialgie. Mince, à la fin !

Marie repose son pistolet d'un air déconcerté.

— Qu'est-ce qui te prend ? Tu n'es pas contente ? Tu n'auras même plus à te poser de questions.

Je quitte la pièce en fuyant son regard. Suis-je contente ? Le contraire ? Soulagée ? L'inverse ? Pas bien certaine de me comprendre moi-même. Pourquoi devoir me justifier ? Envie de pleurer et de sourire à la fois. Envie de crier à en avoir la nausée. Envie de courir sans me retourner. J'entends son souffle derrière moi, dans les couloirs, puis dans le parc. Je finis par ralentir et m'arrêter devant un arbre. Pas n'importe lequel. Le chêne où j'avais attaché Écume un samedi matin.

Écume. Matthieu. L'œuf clair. Tout me paraît absurde. Absurde et vain.

Les larmes ruissellent et me chatouillent les joues. Je sens le bras de Marie dans mon dos qui me serre contre elle.

— Ça va aller, Marie-Lou… Ça va aller.

Et j'inspire une grande bouffée d'air.

16

Le langage codé

Marie-Lou

✓ *Nombre de jours de brouillard consécutifs (de ceux qui retiennent le soleil en otage) : 3. De brouillard dans ma tête ? 3. Il faudrait peut-être que je pense à déménager… À la Réunion ?*

✓ *Nombre de fois où j'ai eu la nausée en me brossant les dents ? En passant devant la litière du chat ? Trop près de la poubelle du service ? En ouvrant la porte du frigo ? Un flacon d'antiseptique ? En buvant du café ? À chaque fois ! Ça dure longtemps, une grossesse nerveuse ?*

En cette fin d'après-midi de décembre, je me retrouve sur ce quai de gare à brandir mon écriteau. Les courants d'air me cisaillent le cou, et je rentre le menton dans mon écharpe en courbant le dos. La position «marabout» ! Est-ce la comparaison ou le comique de la situation qui me fait sourire ? Par quel enchaînement de circonstances suis-je arrivée là ? Mon stage en neurologie auprès du bon docteur Breton a ce brin d'imprévu et de folie que je dois accepter. Il ouvre le champ aux rebondissements et aux retournements de situations. Des drôles, des tristes, et quelquefois les deux à la fois. Me donnant l'impression de ne pas savoir sur quel pied danser. N'est-ce pas là le métier qui rentre ?

Le grand échassier avait commencé la journée par me faire sursauter. Il avait jailli au-dessus de mon stylo comme s'il se jetait sur une proie. Farah avait levé les yeux en souriant et lui ne s'était même pas excusé.

— Hum… Je me disais qu'on exerce vraiment un métier formidable. *De là, il avait déchiré le coin de mon dossier et avait continué en mâchouillant.* En s'occupant de nos patients, en essayant de soulager leur peine, on met de côté nos soucis personnels… Tu n'es pas d'accord, Marie-Lou ?

— Pourquoi vous me dites ça ?

Ma mine était-elle si affreuse que ça ?

— Pour faire l'intéressant, avait-il ajouté sans plus de précisions. Tu as des nouvelles de…

— Philippe Horel ? Notre patient de Brest ? Oui.

Pris au dépourvu, il s'était assis en attendant le verdict. Trouvant que le « *no news* » avait assez duré, j'avais pris les devants ce matin. Je lui avais dressé le tableau, sans détour et sans ménagement. Celui du scaphandre et du papillon[1]. On appelait cela le locked-in

---

1. *Le Scaphandre et le Papillon*, Jean-Dominique Bauby, Robert Laffont, 1997.

syndrome. Littéralement, le syndrome de l'enferme-ment. Philippe Horel se retrouvait prisonnier d'un corps dont seuls les yeux étaient capables de bouger. Il voyait, entendait, enregistrait, voulait réagir, mais n'avait plus les commandes pour le faire. N'était-ce pas là le pire des supplices ? Certes, il avait survécu. Mais s'il restait dans cet état, devait-on vraiment s'en réjouir ? J'avais la rage.

Le marabout avait frémi et moi, j'avais enfoncé le couteau dans la plaie :

— Vous disiez, Cédric ? On exerce un métier formi-dable, c'est ça ? Assister impuissants à de tels drames ? À des vies qui se brisent ?

Après une nouvelle œillade de Farah, compatis-sante, et un autre frisson du marabout, j'avais posé ma main sur son épaule pour me faire pardonner. Pour lui signifier qu'il avait fait tout ce qu'il pouvait, comme chaque jour depuis que je le connaissais. Je l'avais informé que notre patient serait bientôt transféré à Quimper en réanimation. Qu'on pourrait bientôt aller lui rendre visite. Qui sait ? Peut-être aurait-il besoin de sa méthode «Breton». De ses petits riens qui, mis bout à bout, amènent à tolérer l'effroyable ? On trou-verait bien quelque chose, non ? Pour toute réponse, il m'avait tendu un sachet de Dragibus et avait continué de grignoter ma feuille en silence. Et tant pis pour mon observation.

Un peu plus tard, le marabout avait retrouvé du poil – ou plutôt des plumes – de la bête. Posté devant la fenêtre, il avait même essayé de me remonter le moral, à sa manière :

— Que j'aime la grisaille et la pluie ! Et le changement d'heure en automne. Tu sais quand il fait nuit à la sortie du travail. Ça me met tout de suite de bonne humeur, pas toi ?

— Cédric, ne le prenez pas mal surtout, mais vous êtes vraiment monté à l'envers.

Ce qui avait semblé le flatter au plus haut point.

Quand le téléphone avait vibré dans sa poche, il avait pris une mine grave en voyant s'afficher le nom de son interlocuteur. De là, il avait fermé la porte en posant son index sur sa bouche. La conversation se voulait «top secrète» !

— Bonjour, M. le directeur. Vous avez bien appelé le ministère de l'Intérieur comme prévu ? *Il avait remonté le menton pour se donner de l'importance.* Oui ? C'est parfait, vous savez que je tiens à ce que le dossier «Farah Youssef» soit placé tout en haut de la pile. Je leur envoie des lettres recommandées tous les mois à ce sujet. Non, soyez-en assuré, je n'en fais pas trop. Oui, je comprends, ça peut lasser… D'accord, je vais arrêter. Et concernant le sous-préfet ? Plus de courriers non plus ? C'est entendu, monsieur le directeur. Merci beaucoup, monsieur le directeur. *C'est là qu'il avait mimé ce geste. Celui d'un couteau qui tartinait de la confiture. Et je m'étais retenue de rire.* Bonne fin de journée, monsieur le directeur. Au revoir, monsieur le directeur.

— Que manigancez-vous dans le dos de Farah ?

— Je sais qu'elle a entrepris des démarches pour obtenir la double nationalité, alors je lui donne un petit coup de pouce.

— En secret ?

— Bien obligé, Madame a du caractère. *Je m'étais*

souvenue de notre conversation : sa peur d'être rede-
vable, sa volonté de tout gérer seule, de tout mener de
front. Une fois devenue française, tout sera plus simple.
Elle pourra demander l'équivalence de ses diplômes et
obtenir un poste de praticien hospitalier.

— Où ? Dans votre service ?

— Affirmatif ! Sinon, je lui colle une indigestion de
Dragibus !

J'avais éclaté de rire, et Farah avait choisi ce moment
pour entrer prendre un dossier.

— Il y a de l'ambiance ici !

Le marabout avait juste eu le temps de pivoter, le nez
contre la vitre. Et son reflet, à lui seul, avait continué
le dialogue : des clins d'œil explicites, un sourire malicieux, face au brouillard et à la pluie bretonne.

Le train en provenance de Paris vient de s'immobiliser dans un souffle métallique. Les agents SNCF
coiffés de leur casquette blanche agitent leurs bras
dans une chorégraphie saccadée dont eux seuls com-
prennent le sens. Je me poste au milieu du quai, bien en
évidence. Espérons que la personne que je cherche soit
bien dans ces voitures. Si au moins je savais à quoi elle
ressemble… Juste un petit indice. Est-ce une femme ?
Un homme ? Un chien ? Me voilà bien avancée.

Il y a une heure, l'infirmière nous avait interpellés,
Cédric et moi :

« Venez, je crois que M. Baron veut nous dire
quelque chose. »

On avait trouvé le petit homme au fond de son lit
qui brandissait son portable. Étant dans l'incapacité de

taper son code pour le déverrouiller, il semblait terriblement contrarié.

— Vous voulez prévenir quelqu'un ?

Il avait opiné du chef et tapoté le cadran de sa montre. Comme pour nous signifier que le temps était compté.

— Vous avez un rendez-vous ?

Nouveau hochement de tête, plus vigoureux celui-ci.

— Lo… Tra… Lo… Tra… Tra…

Que cachait ce langage codé ? Lo. Tra. On s'était tous penchés au-dessus de son lit pour fixer sa moustache qui s'arrondissait et s'aplatissait sur ces deux nouvelles syllabes, quand Cédric avait eu une idée de génie :

— Lo… Tra… Le train ? La personne en question est dans le train ?

M. Baron avait fait un bond en érigeant les pointes de ses moustaches. Le mystère venait d'être décodé et la suite de l'enquête simplifiée !

Après une série de questions fermées, me voilà sur ce quai de gare – dans mon rôle d'interne en médecine multifonction – à brandir ma pancarte. Certains me bousculent, d'autres me marchent sur les pieds mais personne ne semble prêter attention à mon bout de carton. Au loin, une silhouette se découpe dans le halo du réverbère puis s'évanouit dans la nuit. Un frisson me traverse le corps. Matthieu. J'aurais juré que c'était lui. Sa carrure qui en impose et sa démarche qui fait tout le contraire. La lenteur souple de ses pas. Ce baluchon sur le dos et ce short improbable. Je me hisse sur la pointe des pieds et le cherche des yeux, mais il a déjà disparu. Le manque serait-il si intense qu'il me jouerait des tours ?

Frigorifiée, je m'apprête à faire demi-tour lorsque deux petits souliers roses apparaissent sur le marche-pied de la dernière voiture et attirent mon attention. Ils ont attendu que le flot des voyageurs descende et paraissent hésiter à fouler la terre ferme. Dans son long manteau de fourrure, cette élégante dame aux cheveux blancs semble tout droit sortie d'un film des années 1930. Son chapeau de feutre tient en équilibre sur le côté et projette son ombre sur la moitié de son visage. Des lèvres fines et pincées, des yeux perçants à la Marlene Dietrich fixent mon écriteau d'un air inquiet, avant de croiser mon regard.

« M. Baron m'a demandé de venir vous chercher. »

17

La sidération nécessaire

Yann resta les doigts crispés sur son stylo, le regard et l'esprit dans le vide. Sidération nécessaire pour pouvoir passer à autre chose et continuer ses consultations comme si de rien n'était. Il sentait encore le métal froid sur son cou et la pression dans sa poitrine. Sensations qui ne le quitteraient pas avant plusieurs jours. Il ne sut pas comment il avait terminé sa journée de travail. Il aurait été bien incapable de dire ce qu'il avait mangé à midi, quels patients il avait examinés, quels diagnostics il avait posés. Pourvu qu'il ne fût pas passé à côté de quelque chose.

Le soir même, il ne dit rien à Brigitte. De toute façon, ils ne se parlaient plus depuis longtemps. Sauf pour le quotidien, l'alimentaire. Leur vie prenait la texture froide et métallique d'une couverture de survie.

— Je te ressers de la soupe ?

— Merci, je n'ai pas très faim.

— Tu as mangé quoi à midi ?

— Je... À vrai dire... Un bout de pain et du fromage... Entre deux rendez-vous, marmonna-t-il pour meubler.

Et il avait meublé toute la soirée d'un ton et d'une humeur monocordes jusqu'à sa promenade solitaire le long de la plage de Trez. Hiver comme été, il repassait le film de ses journées en accéléré, les pieds nus dans le sable. Une sorte de court-métrage analytique. Le scénario du jour avait pris une tournure cauchemardesque et pour la première fois, il avait besoin d'aide. S'il n'arrêtait pas le processus, les cycles allaient se répéter inlassablement et finir par le faire sombrer. La règle des vingt-huit jours, il fallait la stopper sur-le-champ. Mais comment ? Qui pouvait l'aider ? Une seule personne lui vint à l'esprit. Ils ne s'étaient pas parlé depuis les années de fac, mais il faisait partie de ceux qu'on ne perd jamais de vue. Qui gravitent autour de nous sans avoir besoin d'entretenir la force d'attraction.

— Tom…

— Yann ? Ça fait une éternité. Je suis content d'entendre ta voix. Comment vas-tu ?

— …

— Yann ?

— Tu sais, je n'ai jamais osé te le dire… Je pisse assis… depuis des années. Je trouve ça plus confortable en fait… et tu peux prendre un bouquin.

— Pourquoi tu me dis ça maintenant ?

— Comme ça, soupira-t-il.

— Oh toi, tu as un problème.

— Faut croire, Tom… Faut croire.

— T'es où ?

— Sur la plage en face de chez moi. Les pieds dans le sable. Je… je me sens mal, Tom.

— Alors ne bouge pas… T'entends ? J'arrive… Je

suis là dans une heure. Et surtout ne fais pas de connerie en attendant. D'accord ?

Et il resta ancré, sans bouger, comme une bernique sur un caillou. Sans pouvoir réfléchir. Il urina même debout avec ses mains tremblantes et froides qui lui brûlaient le pénis. Il savait qu'il n'avait plus la force de continuer comme avant. Qu'il ne pourrait plus pousser la porte de son cabinet ni celle de sa propre maison. Le coquillage devait se décrocher, la mer venait de recouvrir le rocher.

Tom découvrit son ami grelottant face à l'océan et l'emmena au chaud dans sa voiture. Il lui fallut quelques bières au bar d'à côté pour que les mots commencent à sortir. Son histoire de «trafic.de.stupéfiants.et.d'attaque.à.main.armée» était décousue, pas très claire, et Tom dut le faire répéter plusieurs fois.

— Demain, je t'emmène au commissariat de Quimper faire une déposition. Tu as agi sous la menace, tu ne risques rien. Je vais t'arrêter quelques jours pour que tu te remettes. Allez viens, je te ramène chez toi.

— Non…

— Comment ça, non ?

— Je ne peux pas… Je ne peux plus faire semblant.

Dans les yeux tristes de son ami – ceux qui n'avaient plus aucune estime vis-à-vis de lui-même – Tom prit conscience du virage qu'il était en train d'opérer, qu'aucune parole ne pourrait détourner, et il se surprit à lui donner raison. La vie était trop courte. Il fallait qu'il relève la tête, au risque de passer pour un sale égoïste.

— À la Réunion ? Pourquoi aller si loin ?

Yann lâcha cette idée vers trois heures du matin, après plusieurs verres de whisky-coca. Il venait de voir un documentaire sur le facteur du cirque de Mafate. N'était-ce pas là, le bout du monde ? Exactement ce qu'il cherchait à cet instant précis ?

Le lendemain, quand le policier prit sa déposition, tout lui sembla plus clair et les souvenirs, d'une précision chirurgicale. Le nom de l'agresseur sur l'ordonnance, le tatouage en forme d'ancre sur son poignet, sa cicatrice au coin de l'œil gauche en forme de Z, le marron clair de ses iris qui tirait sur le jaune, ses cheveux noirs plus longs au niveau de la nuque, ses tempes grisonnantes, l'odeur de tabac froid qui imprégnait ses doigts et qui lui donnait encore la nausée.

En sortant, il se sentit libéré d'un poids. La menace de ce trafiquant ne pesait pas lourd face au sentiment de culpabilité qu'il aurait ressenti s'il avait continué à jouer les dealers. Yann le savait, il ne retournerait pas au cabinet. L'agent lui avait conseillé de prendre quelques jours de congés, le temps d'avancer dans l'enquête mais dans sa tête, il avait besoin de beaucoup plus. Depuis combien de temps n'avait-il pas pris de vacances ? Vingt ans ? Ses patients s'en remettraient et ne tarderaient pas à sonner chez le jeune médecin qui venait de s'installer dans la maison médicale voisine. Il n'avait pas d'autre choix que de fuir. Et il avait choisi Tom comme complice. Celui qui s'apprêtait à sonner à la porte de sa propre maison, parce que lui n'en avait pas le courage.

L'ami de fac eut du mal à reconnaître Brigitte

quand elle apparut dans l'entrée. La maladie de Parkinson avait figé son visage en un masque de cire inexpressif, sa silhouette – toujours aussi mince et élégante – s'était courbée vers l'avant, l'obligeant à relever la tête pour les regarder. Elle n'avait pas vu Tom depuis vingt ans, mais ne sembla pas étonnée de le trouver là. C'est lui qui prit la parole. Autour de la table, Yann restait silencieux, les yeux baissés, pendant que sa femme s'appliquait à leur servir des cafés de ses mains tremblotantes.

— Tu as raison, c'est plus raisonnable de fermer le cabinet quelques jours, commenta-t-elle en leur tendant une assiette de cookies que son mari déclina. Le temps de les interpeller… C'est plus sûr.

— J'ai décidé de partir, Brigitte, bredouilla-t-il d'une voix mal assurée. On en a déjà parlé plusieurs fois… Je pense que c'est le moment.

À ces mots, ses mains se crispèrent sur sa tasse, et le furtif coup d'œil jeté à Tom lui confirma qu'elle avait bien entendu. Elle le savait, avant même que sa maladie se déclare. Comme si son Parkinson lui avait donné quelques années de répit.

— Je suis désolé, Brigitte. Si tu savais… frémit-il.

Et le silence s'installa, oppressant comme le regard de glace qu'elle lui lança, juste au moment où une larme contenue roula sur sa joue. Tom tenta de se lever le plus discrètement possible avant que le bras de Yann l'en dissuade.

— Et… tu reviendras ? balbutia-t-elle.

— Je ne sais pas… combien de temps il me faudra.

— Et Matthieu ?

— Il est grand, maintenant… Peut-être qu'un jour

je lui expliquerai. Tom m'a promis qu'il veillerait sur lui de loin, sur toi aussi.

— Veiller sur nous ? Merci, ce ne sera pas nécessaire ! Si j'avais eu besoin d'un mari, il y a longtemps que j'en aurais trouvé un autre… Un fantôme, voilà ce que tu es devenu. Et sais-tu ce qui est le plus dur dans l'histoire ? C'est que toi, tu puisses te reconstruire, alors que moi, cette satanée maladie m'a fait perdre tout espoir.

— Brigitte…

— Non, tais-toi ! Je ne veux pas de ta pitié. Déguerpissez avec vos têtes de chiens battus. Je ne veux plus jamais te voir ! Et j'espère qu'au moins tu auras la décence de l'annoncer à ton fils ! Mais non, c'est vrai, le courage, ça fait longtemps que j'en ai pour deux.

Le long soupir qui suivit en disait long sur la pression que Yann emmagasinait dans sa poitrine. Et il se prolongea jusqu'à l'aéroport. Jusqu'à la porte d'embarquement, où il laissa son portable et ses clefs. Il appellerait son ami tôt ou tard. Promis. Tom savait que ce serait plutôt tard que tôt. Qu'importe, s'il n'avait pas de nouvelles, il irait le voir. Le cirque de Mafate, n'était-ce pas un peu vague comme nouvelle adresse ?

Il regarda l'avion décoller depuis le parking, le dos appuyé contre la portière de sa deux-chevaux vert pomme de collection, avec un sentiment de soulagement mêlé de tristesse. Les roues arrière se replièrent dans l'appareil avant qu'il disparaisse dans les nuages.

18

La tachycardie

Marie-Lou

✓ *Nombre de fois où il m'a fallu ma dose de Benja-min Clementine ? Comme les fraises des femmes enceintes (les vraies), comme les boulettes de coton du bon docteur Breton : 4. Je progresse !*

✓ *Nombre de fois où je me suis surprise la main posée sur le ventre : 5. Ça dure longtemps, une grossesse nerveuse ?*

Marlene Dietrich s'appelle en fait Lucette. Ses petits pas délicats traversent la haie d'honneur qui s'est for-mée à l'entrée du service. On pourrait entendre une mouche voler. Qui se cache derrière « Lo-Tra » ? Farah, Cédric, infirmières, aides-soignantes, kinésithéra-peutes, orthophonistes, tous rêvent de mettre enfin un visage sur ces deux syllabes. Est-ce la fourrure qui les impressionne ? Le chapeau ? Ou la grâce enfantine de cette petite grand-mère ? Celle qui me suit, avec une inquiétude fébrile, jusqu'à la porte 58.

Le jour de leurs retrouvailles, Lucette l'attend depuis longtemps et a manqué de défaillir sur le quai de la gare en apprenant la nouvelle. Georges Baron, son amour de jeunesse, l'a retrouvée il y a quelques semaines sur les réseaux sociaux. Elle était veuve, lui célibataire, donc l'avenir s'offrait à eux du haut de leurs soixante-dix ans. Il avait gardé sa moustache et elle, ses cheveux longs. Elle aimait toujours les chansons de Françoise Hardy et lui, la voix rauque de Leonard Cohen. Il ne jouait plus au tennis, elle aussi avait arrêté la danse. Ils étaient faits pour se RE-rencontrer, se RE-séduire et qui sait ? La suite, ils l'auraient écrite ensemble. Un billet de train Paris-Quimper, un aller simple. Il n'avait pas réfléchi longtemps avant de le lui envoyer par la Poste. Et depuis, il comptait les jours, puis les heures, quand sa langue avait fourché. Ses effroyables «tan-to-la» puis «lo-tra» qu'il ne maîtrisait pas. Jusqu'à ce que le grand marabout les décode.

Lucette ôte son chapeau avant de frapper à la 58 et m'interroge du regard, comme si le seuil était dangereux et difficile à franchir. J'opine du chef pour l'encourager à entrer. Les curieux se regroupent dans mon dos face à l'écran du scope, où les battements cardiaques du petit moustachu dessinent de petites vagues. De notre poste de commande, on traque les sautillements, les pauses, les grands écarts du cœur des patients qui ont fait un A.V.C. D'habitude, on essaie de les corriger en véritables chorégraphes, mais là, loin de nous l'idée d'y toucher. On assiste à tout autre chose. Le rythme s'emballe et pique un sprint avec de telles pointes qu'elles déclenchent l'alarme. Georges Baron ne s'exprime peut-être pas mais son cœur parle pour lui.

Cédric pose une main sur mon épaule, je clique sur le tracé pour qu'il s'affiche en grand. Les ondes se serrent. Des noires, des croches, des doubles-croches.

— C'est grave, docteur ?

Je l'entends mâchouiller derrière moi, il hésite un moment avant de répondre :

— Hum… Communément, on appelle ça « battre la chamade ».

— Et dans notre jargon ?

— Une tachycardie sinusale… Marie-Lou, connais-tu le cerveau reptilien ? Le plus ancestral d'entre tous ? Celui qui régit la régulation des fonctions vitales, les besoins naturels et les comportements primitifs ? *Je décroche. Comment réagirait mon cœur à moi si Matthieu refaisait surface, là maintenant ? Et si on se perdait de vue pendant cinquante ans ? Je tressaille. Serait-il encore capable d'accélérer ?* Marie-Lou ? Que se passe-t-il ? Tu pleures ?

Et les hormones ? Celles des grossesses nerveuses ? Quels effets sur le cerveau reptilien ? Je m'essuie les yeux d'un revers de main et rassure mon chef de service. Tout va bien. Notre mission « Baron » ne touche-t-elle pas à sa fin ? Cédric se penche vers moi du haut de ses échasses et me jette le même regard, concerné et protecteur, que lorsqu'il m'avait surprise la main sur le ventre. TOUT VA BIEN.

Et le service s'apaise. Les couloirs deviennent

déserts, la lumière se tamise. Les familles rentrent chez elles, les patients finissent de dîner, et le marabout regagne son nid. J'aime ce moment. L'occasion avec Farah de se retrouver dans la salle des internes et de prendre le temps. Chose rare à l'hôpital. On finit de dicter les courriers, de classer les examens. On refait le monde avant que le nôtre se manifeste et que nos téléphones se mettent à sonner à l'unisson.

— Bonjour, Brigitte. Vous allez bien ?

Dans mon oreille droite : la réponse lente et chevrotante de la maman de Matthieu dans la gauche : la langue arabe de ma co-interne. Les mots hachés qui lui raclent la gorge, s'arrêtent puis accélèrent. Je déchiffre les expressions de son visage avec inquiétude. Quand sa mère l'appelle de Syrie, j'ai toujours peur qu'elle lui apprenne une mauvaise nouvelle. Mais là, ses traits restent impassibles, ses phrases ralentissent et se terminent par un sourire. Je peux reprendre le fil de la conversation avec Brigitte :

— Vous êtes sûre ? Vous n'avez pas besoin que je passe ? Ah, bon ? Votre voisin vous a fait les courses ? Mais pourquoi ? Vous savez que ça ne me dérange pas de venir ! *Intriguée, je mordille le bout de mon stylo.* Très bien, alors on se dit à la semaine prochaine.

Pourquoi sa voix n'était-elle pas naturelle ? Une gêne courtoise, des réponses trop précautionneuses. Qu'aurais-je dit ou fait de déplaisant lors de notre dernière rencontre ? Pourquoi changer nos habitudes ? C'est étrange.

— Si tu veux mon avis, elle te cache quelque chose, déclare Farah, qui vient d'assister à la fin de notre échange.

— Tu crois ? Me cacher quelque chose ?

— Ou quelqu'un, ajoute Farah.

— Qui ? Matthieu ? Tu crois qu'il est revenu ?

Elle hausse les épaules d'un air désolé. Je n'y avais même pas pensé. Pourquoi Brigitte le garderait-elle pour elle ? Et lui, pourquoi ne m'appellerait-il pas ? Je m'affaisse sur ma chaise et repense à ce mirage sur le quai de la gare. Cette silhouette au loin était peut-être bien réelle…

— Tu sais quelque chose ?

Farah a juste le temps de secouer la tête, quand une des infirmières fait irruption dans la pièce :

— Marie-Lou ? Il y a quelqu'un qui t'attend à l'entrée du service.

Ses yeux brillants et son petit sourire en coin me donnent un peu d'espoir.

— Tu veux dire, un… un homme ?

Je me lève d'un bond, elle glousse. *Moi aussi, intérieurement. Pourvu que ce soit lui !*

— Des comme ça, je veux bien que tu m'en présentes d'autres. Il est à tomber ! *Je sais, je sais.* En plus, j'ai toujours eu un faible pour les beaux bruns ténébreux !

Quoi ? Un brun ? Mon rêve, brisé en un seul mot !

Eduardo. Son visage se fend d'un « smiley » bienveillant et sincère qui rattrape ma déconvenue.

— Je passais par là.

— À Quimper ? Vraiment ?

Son sourire ne le quitte pas.

— Oui, pas loin… Anna, ma colocataire, tu vois qui c'est ?

— Vaguement. Une grande brune exubérante et envahissante ?

— Ha ha ha… Je le lui répéterai, chante-t-il en roulant les « r ». Je suis censé l'accompagner en congrès près d'ici, tenir le chandelier en quelque sorte.

— Tenir la chandelle…

— Euh, oui… Mais comme les cours s'éternisent et que le programme de chirurgie digestive ne me passionne pas… *Il se gratte la tête, mal à l'aise.* Je me suis dit, en tout bien, tout bonheur.

— En tout bien, tout honneur…

— Je me suis dit que j'allais t'inviter au restau. Tu veux ? Elle nous rejoindra après.

— Je veux bien. Avec plaisir ! Laisse-moi une minute, le temps de prévenir Farah.

Et la haie d'honneur se reforme dans le couloir – on prend les mêmes et on recommence –, faite de sourires envieux et de gloussements pas très discrets. Ma co-interne passe la tête à travers la porte, arque un sourcil, visiblement étonnée, et me regarde partir au bras de l'homme idéal.

19

Le Sushi Bar

Marie-Lou

✓ *Nombre de battements de cœur par minute quand je ne pense pas à Matthieu : 73. Quand j'y pense : 84. Docteur, est-ce cela qu'on appelle « battre la chamade » ?*

✓ *Nombre de fois où je réitère l'expérience : 8. Ça marche à tous les coups !*

Le restaurant est désert et silencieux. Assis côte à côte face au bar, seul le grincement du tapis roulant met un peu d'animation. Les sushis y défilent dans des boîtes en plastique. Assiette noire : deux euros violette : trois. Code couleur qui me coupe déjà l'appétit. Lorsque le poisson rouge sur l'écran géant face à nous s'approche et largue une colonne de bulles, je pouffe de rire. Eduardo me lance un de ses coups d'œil désolés, de ceux qui meurent d'envie de partir en courant. Le décor de son rendez-vous branché se révèle aussi froid qu'un frigidaire !

— Dans mon pays, cela ne nous viendrait pas à l'idée de manger sans se regarder.

— Je te rassure, dans le mien non plus.

Nemo ondule vers nous en ouvrant sa bouche béante comme s'il agonisait. Vision si désagréable que je tourne la tête vers la rue et que je la vois de nouveau. Cette silhouette, la même que sur le quai de la gare, était en train de nous épier. Ai-je rêvé ou vient-elle de disparaître de la devanture ? Je cours vers la porte d'entrée. Un mirage, ni plus ni moins. Seul un gros chat de gouttière dandine sur le trottoir d'un air hautain. Pauvre Eduardo, en plus d'être de mauvaise compagnie, je deviens parano ! Sans m'en tenir rigueur, le voilà qui vient de tourner nos chaises l'une vers l'autre.

— Comme ça, c'est mieux !

Plus de poisson. Juste ses yeux sombres enveloppants à faire rougir les filles et réchauffer les chambres froides ! Et pour couronner le tout, son téléphone qui fait office de radio et diffuse une douce mélodie venant couvrir le crissement du manège. C'est mieux, en effet.

« *Tall and tan and young and lovely, the girl from Ipanema goes walking and when she passes, each one she passes goes. Aah.* »

— Tu repars quand en Argentine ?

— Début janvier, normalement.

— Normalement ?

Il se gratte la tête, comme si ma question l'embarrassait.

— À la base, je devais venir deux mois me perfectionner dans la chirurgie de l'hypophyse. Un transfert d'expérience en vue de m'installer à Buenos Aires dans la clinique de mon père.

142

— Un avenir tout tracé?

— Oui, depuis que je suis petit.

— Et tu l'acceptes?

— Cela va te paraître bizarre, mais je n'avais jamais réfléchi à la question. L'ordre des choses, comme on dit. Dans quelques semaines, je serai au bout de la ligne droite.

— Tu as l'air d'en douter.

Il prend un air pensif et se met à jouer avec ses baguettes et à les entrechoquer dans le vide.

— Il se peut qu'il y ait des courbes au bout de la ligne droite qui retardent mon départ.

— Des courbes brunes, tu veux dire? Exubérantes et envahissantes?

Il esquisse un sourire timide avant de baisser les yeux.

« The girl from Ipanema goes walking and when she passes, I smile but she doesn't see… »

Sur ces dernières considérations géométriques, on reste un moment sans parler et on tente d'attraper nos sashimis sans y mettre les doigts. À ce jeu, le chirurgien est plus habile que moi, et ma bouchée vient de tomber dans la sauce en éclaboussant le comptoir. Juste à l'endroit où une des assiettes tournantes attire notre attention. On dirait un bateau télécommandé. À la place du couvercle, un petit drapeau planté au milieu des makis fait office de grand-voile et nous délivre un message :

« Attention ! Le poisson rouge ne se mange pas ! »

J'attrape le fanion au passage, et le fou rire nous gagne en cherchant des yeux la patronne. Celle qui, pour l'instant, préfère rester dans l'ombre de sa cuisine. Nemo. Elle a dû remarquer qu'il nous mettait mal à l'aise. Mais quand même pas au point de vouloir le manger !

Eduardo s'approche et me murmure sur le ton de la conspiration :

— Avec son air pincé, je ne l'aurais pas crue capable d'humour et d'autodérision.

— Ne jamais se fier aux apparences !

— Je n'arrête pas de me le répéter depuis que je suis arrivé en France. Vous, les Françaises, vous êtes… étonnantes.

Et le voilà qui se lance dans une description pimentée de sa colocataire, qui, dès les premiers jours, a bien failli le faire partir en courant. Sacrée Anna ! Tous les matins, au réveil, il la trouvait dans son lit, lovée tout contre lui. Trop chaud sous sa couette, trop de bruit à sa fenêtre. Chaque prétexte était bon à prendre. À l'écouter, il restait de marbre et accueillait dans ses bras en tout bien, tout «bonheur» la bimbo en mal de câlins avec une pointe d'amusement et de flatterie. Jusqu'au soir où elle a fini par ôter le masque.

— J'étais rentré tard de l'hôpital, l'appartement était dans l'obscurité, j'ai d'abord cru qu'elle n'était pas là… jusqu'à ce que j'entende des sanglots dans sa chambre. Je l'ai trouvée par terre, recroquevillée. Un chef stressé et despotique, une opération qui s'était éternisée, un ex qui l'avait harcelée. Bref, une sale journée. Je me suis demandé si j'avais bien la même Anna devant moi. La Wonder Woman montée sur piles. Lorsqu'elle a relevé la tête et que nos yeux se sont croisés, il y a eu comme un déclic. L'intensité, la profondeur, la sincérité… Je ne saurais l'expliquer… J'ai su que je ne pourrais plus me passer d'elle… *Il se gratte encore la tempe puis se tourne vers moi.* Marie-Lou… Tu pleures ?

— Moi ? Non… Enfin, un peu. C'est émouvant… Désolée, ce sont les hormones, dis-je en reniflant.

Il se met à me dévisager d'un air suspicieux.

— Comment ça ? Je croyais que tu n'étais pas, enfin plus enceinte…

— Les nouvelles vont vite, à ce que je vois… La prochaine fois, je dirai à Wonder Woman de tenir sa langue !

Son sourire gêné s'efface brusquement lorsqu'un autre navire surgit devant nous. Mon cœur s'emballe comme le scope de M. «Tan-To-La». Des doubles-croches qui m'oppressent la poitrine. Mon voisin s'empare du message avec une moue d'incompréhension.

«Le kig ha farz, c'est meilleur, non ?»

Matthieu. Il est là et il nous regarde. Cette inscription porte sa signature. J'aurais dû m'en douter. Le plat de sa grand-mère. Celui qu'il avait préparé spécialement pour moi, en y passant toute la journée. Une marque d'affection spontanée et imprévisible, comme celle d'aujourd'hui. Du Matthieu tout craché. Pourquoi monter ce scénario ? Pourquoi ne pas simplement sonner à ma porte et me sauter dans les bras ? Me croit-il toujours enceinte ? A-t-il peur de m'approcher ? J'ai envie de crier, mais aucun son ne sort de ma bouche. Dire à ce gamin que le cache-cache a assez duré, qu'il doit sortir de l'ombre. Le rouge me monte aux joues, et je m'agite dans tous les sens. Ma tête bouillonne d'émotions contraires. De la colère ? Du soulagement ? La joie de le retrouver ? Je me lance alors dans un 360 degrés sur mon tabouret, sachant très bien qu'il a déjà disparu. C'est là qu'une autre assiette enfonce le clou :

« Et au moins, le kig ha farz, ça sent bon ! »

Il est impossible. Jaloux sans aucune raison de l'être. J'allonge le bras en renversant le mât avant qu'il atteigne le champ de vision de son supposé rival.

— Tu viens ? On s'en va ?

— Tu ne veux pas de dessert ? *Et lui, qui ne se doute de rien.* Marie-Lou, que se passe-t-il ? Tu n'as pas l'air bien.

Qu'une seule envie : rentrer. Plutôt que d'attendre la prochaine assiette. Celle qui finit par arriver. Deux petites pâtisseries japonaises. Des mochis tout ronds, tout petits. Le rouge pour monsieur, le blanc pour madame. Facile, c'est écrit dessus.

— Non ! Ne croque pas !

Trop tard. Eduardo prend la couleur de son gâteau. Il se transforme en cocotte-minute et se met à siffler et à fumer par les narines.

— Du piment, gémit-il en se ruant sur son verre d'eau.

Les mots qui suivent sortent en espagnol, et je ne comprends pas tout. Il s'agite et lève les bras au ciel.

Quand la patronne refait surface, intriguée par les bruits de l'Argentin en ébullition, je lui glisse quelques billets dans la main et entraîne Eduardo vers la sortie.

— Respire… Respire !

— Il me faut de l'eau.

— Le pain, c'est mieux.

— T'as déjà vu du pain dans un restaurant japonais ?

J'éclate de rire. Lui, non.

— C'est quoi, cette adresse de cinglés ? Je sais, vous avez voulu me piéger avec Anna… Une caméra cachée, c'est ça ?

— Non, je t'assure…

Pourquoi suis-je en train de me mordre la joue ?

À ces mots, un gros labrador pataud, en mal de caresses, surgit de nulle part et me saute dessus. Eduardo, interloqué, le regarde me lécher les mollets.

— Mais je le connais, ce chien ! Qu'est-ce qu'il fait là ? Écume ?

Après quelques explications confuses et évasives, je prends congé du chien et de l'Argentin. L'un comme l'autre me fixent avec incompréhension avant de partir dans des directions diamétralement opposées. Une question me taraude depuis tout à l'heure : et mon gâteau ? « Le blanc pour madame » ? Qu'y avait-il à l'intérieur ? Du piment ? De l'explosif ? Je pousse de nouveau la porte du restaurant en feignant de ne pas remarquer l'expression à la fois perplexe et effarée de la patronne. Le petit mochi tourne toujours sur le manège, et elle le suit des yeux en se demandant bien comment il a atterri là.

— Désolée, je l'avais oublié, dis-je d'un air gêné en l'emportant avec moi.

Une fois rentrée à mon appartement, je le croque avec une certaine méfiance mêlée de gourmandise. Pas de piège cette fois-ci, juste la douceur de la noix de coco et, en son centre, un petit bout de papier roulé en boule. Fini de jouer ? Je souris.

Je suis revenu.
Si elle se tait et attend.
Jalousie grandit.

Voilà bien le seul ours mal léché et jaloux capable d'écrire un haïku.
Le seul.

20

Le bout du monde

Tom avait vu juste avec son «plutôt tard que tôt». Voilà bientôt un an que Yann n'avait plus donné de nouvelles. À personne, pas même à Brigitte, qui feignait l'indifférence. Comme prévu, sa disparition avait fait grand bruit à Bénodet. Les ragots s'étaient déchaînés, des versions romancées qui lui donnaient plusieurs casquettes : celle du mari infidèle, du marin imprudent, du dépressif suicidaire ou encore du médecin en burn out. Aucune ne s'était approchée de la vérité et n'avait établi de lien entre sa fuite et l'affaire des frères Legoff qui affolait les médias. Yann Madec avait fait le buzz, comme on dit, mais maintenant plus personne n'en parlait. Quand Tom s'en rendit compte, il eut peur de l'oublier à son tour et décida d'aller à sa rencontre.

Là-bas, au bout du monde, il était devenu une célébrité locale et Tom trouva le Doc' plus facilement que prévu. À Cayenne, une petite fille haute comme trois pommes lui servit de guide avec un aplomb étonnant pour son âge.

— Le Doc'? V'nez, suivez-moi… I' s'occupe de Gros Lard.

Comme retrouvailles, il s'était attendu à tout, sauf à ça. La vision de son ami accroupi dans la boue en train d'ausculter un énorme cochon le laissa songeur.

— Yann?

— Ah, salut ! *Ce dernier venait de tourner la tête, sans paraître étonné de le voir.* Tu vas peut-être pouvoir m'aider. Tu t'y connais, toi, en anatomie animale ? Gros Lard est essoufflé et… à vrai dire, je ne sais même pas où poser mon stéthoscope.

Tom éclata de rire et lui tomba dans les bras, si soulagé de le savoir en vie.

— T'as maigri… et apparemment, t'es en panne de rasoir ! *Le Doc' haussa les épaules, comme si c'était le cadet de ses soucis.* Bon, je t'apporte plusieurs nouvelles. Il y en a une bonne et une mauvaise… *Le visage de Yann s'assombrit d'un seul coup.* Vu ton air, je suis sûr que tu vas vouloir que je commence par la mauvaise.

— …

— Je vois que sous les tropiques, tu n'es pas plus causant. Bon, la mauvaise, c'est que Brigitte ne veut toujours pas te parler… Qu'elle a dit à Matthieu que tu t'étais barré du jour au lendemain sans explications et que son père était le plus gros des connards… Et encore, je suis gentil. *Yann baissa la tête.* Tu veux la bonne, maintenant ? Eh bien, tu peux te féliciter ! Grâce à toi, l'affaire des frères Legoff vient d'être résolue.

— Ils ont été arrêtés ?

— Oui, ça fait longtemps déjà. Mais figure-toi que la prise a été plus grosse que prévu. Trois médecins et deux pharmaciens écroués. Un trafic de morphine bien organisé qui durait depuis plus de deux ans.

Le Doc' se tourna vers la fillette et lui désigna le gîte afin qu'ils restent seuls, puis répéta sur le ton de la confidence :

— Trois médecins ? Un trafic ? Deux ans ? Et moi ? Je risque quelque chose ?

— Tu rigoles ! Toi, tu es le héros de l'histoire, mon vieux.

Il recula, affichant une moue gênée.

— Je ne sais pas si je peux me réjouir d'avoir mis des personnes derrière les barreaux. Et si ces médecins ont été menacés ? S'ils ont eu peur comme moi ?

— C'est le cas pour l'un d'eux. Lui ne risque pas grand-chose, il aurait été très peu impliqué et n'aurait rien touché en échange mais les autres, c'est plus grave. Cent euros l'ordonnance, tous les vingt-huit jours, apparemment c'était assez pour acheter leur éthique professionnelle.

Yann ouvrit de grands yeux.

— Tu trouves ça assez, toi ?

— Non… Mais faut croire que pour eux, elle était au rabais.

— Doc' ? les interrompit la petite à nattes, qui s'était faite toute petite entre leurs jambes. C'est vrai, ce qu'i dit l'aut' zoreil ? T'es un z'héro ?

Yann sourit tendrement.

— Un zéro pointé, ma p'tite Lili… C'est vrai.

Et Tom prolongea son séjour à Mafate, le temps de retrouver son ami. Un peu cabossé mais toujours debout, le Doc' s'était recentré sur lui-même et ressemblait au copain de fac qu'il avait connu. Calme, posé et affable. La même force tranquille qu'avant, mais bardée de cicatrices. Ils passèrent de longues soirées à la belle étoile à siroter sa tisane aux feuilles étoilées. Celle qui embrume les esprits. À parler du passé plutôt que d'envisager le futur. À se rappeler le bon vieux temps : l'internat, les soirées carabines, la colocation. Bref, l'avant-Brigitte. Celle qu'ils s'étaient disputée avant que Yann finisse par gagner.

— Elle va bien ? osa-t-il demander en soufflant sur sa tasse fumante.

— Je passe la voir une fois par mois… Une chose est sûre, elle a gardé son mauvais caractère ! À l'entendre, je suis l'espion et toi, le traître. Un vocabulaire à la Tintin qui a pour but de refuser mon aide et de me jeter dehors.

Yann sourit et n'eut aucun mal à s'imaginer la scène.

— Alors, arrête d'aller la voir.

— Non, je ne peux pas.

— Pourquoi ?

— Parce que tu me l'as demandé et que c'est plus fort que moi… Rappelle-toi quand on était étudiants, j'avais du mal à gérer mon empathie. Eh bien là, c'est pareil. Brigitte semble tellement vulnérable et… malgré ce qu'elle laisse paraître, j'ai l'impression que mes visites lui font plaisir. Elle m'a même proposé un café la dernière fois. Il y a du progrès, non ?

Yann frémit en pensant à sa femme et se surprit à

éprouver pour elle encore de la tendresse, comme si le temps et la distance avaient gommé la rancœur routinière et l'agacement qu'il avait ressentis à son égard.

— Et Matthieu ? Comment va-t-il ?

— Incroyable comme il te ressemble ! En plus beau, bien sûr !

— Et en plus intelligent, c'est ça ?

— Oui, j'allais le rajouter… Je n'ai pas osé l'aborder, vu que Brigitte ne lui a rien dit. Je le surveille de loin. Il habite au port du Moulin-Blanc, dans ton bateau.

— C'est vrai ?

— Il a l'air de vivre sa vie. La nôtre, vingt-cinq ans après. C'est drôle.

Yann remplit sa tasse à ras bord. Son fils lui manquait cruellement.

Depuis le départ de Tom, le Doc' appelait régulièrement son ami. Il utilisait le téléphone du gîte. Seul point d'ancrage avec la civilisation. Il écoutait l'espion et se mettait dans la peau du traître, le temps d'une conversation. Presque trois ans étaient passés et il aurait été incapable de dire si cela lui avait paru court ou une éternité. Ici, les jours se ressemblaient et cette constance avait le don de l'apaiser. De colmater les brèches. Serait-il un jour capable de rentrer ? Il en doutait et préférait ne pas y penser.

Mais ce jour-là, au bout du fil, Tom fut catégorique. Le procès aurait lieu dans un mois à Rennes, et sa présence était obligatoire.

— Tu seras appelé à la barre. Ton témoignage est

essentiel. Sans lui, l'affaire n'aurait jamais vu le jour...
Yann ? Tu es toujours là ?

— Hum.

— Le vingt-sept juin, tu entends ? Si tu ne refais pas surface une semaine avant, les flics viendront te chercher, ils m'ont déjà prévenu !

— Ils ne savent pas où je suis...

— Qu'est-ce que tu crois ? J'ai été obligé de leur révéler ta cachette de bandit... Appelle-moi quand tu auras tes horaires d'avion, je viendrai te chercher.

— Tom ?

— Quoi ?

Il hésita un moment avant de bredouiller :

— J'en suis incapable.

— Bien sûr que si... Prends un aller-retour si tu n'es pas prêt... De toute façon, tu n'as pas le choix.

Et Yann resta accroché au combiné, à fixer le mur pendant de longues minutes. Comme s'il allait se fissurer devant lui.

21

Le clan

Marie-Lou

✓ *Nouvelles de Matthieu depuis le coup du mochi : 0.*
  D'Eduardo ? 0.
✓ *Nombre d'apparitions, de mauvaises blagues, de*
  petits messages, de poils de chien dans mon lit : 0.
  J'enrage !
✓ *Nombre de syllabes prononcées par le moustachu*
  de la chambre 58 : 5. Ça progresse !

C'est drôle comme l'hôpital peut se révéler le théâtre
de notre société. C'est triste parfois aussi. Ici, on rentre
dans l'intimité des familles sans avoir besoin d'ouvrir
des portes. Elles nous livrent leurs secrets, leurs ten-
sions, leurs passions et surtout leur capacité à gérer le
stress. Parce qu'une chose est sûre, quand elles entrent
et s'installent entre nos murs, c'est qu'un maillon de
leur chaîne souffre et se trouve dans une position nouvelle pour lui : celle d'avoir besoin des siens. Et là, mal-

heureusement, nos patients ne sont pas tous logés à la même enseigne.

Cette semaine, deux clans s'opposent dans le service : les Belkhacem et les Baron. Deux patients. Une même pathologie : l'A.V.C. Un même hémisphère touché : le gauche. Un même handicap : les troubles du langage. À chacun son aphasie : Wernicke pour M. Belkhacem, Broca pour M. Baron. Si le premier se transforme en moulin à paroles, sans que l'on comprenne le sens de ses phrases – pas même lui –, le deuxième a un moulin au mécanisme grippé qui n'arrive pas à tourner, un « tan-to-la » improductif qui l'énerve au plus haut point.

Deux patients. Deux univers. Deux familles. Deux visions différentes. Le contraste est criant.

Lorsque les Belkhacem ont pris leurs quartiers ce matin dans le service, la salle d'attente s'est transformée en véritable aire de pique-nique. Ils ont écarté les chaises, posé des napperons sur les tables, installé les thermos de thé et les assiettes de pâtisseries. Voilà à peine une heure que Rachid, le patriarche, était hospitalisé que toute sa descendance a déjà accouru à son chevet. Sept enfants, quinze petits-enfants, cinq arrière-petits-enfants, ça faisait du monde ! Madame la cadre s'agitait dans le couloir et tentait de leur dire qu'il fallait se relayer. Que le service de neurologie n'était pas un hall de gare. Que si toutes les familles faisaient la même chose… *Si seulement !* Qu'on ne pouvait pas mettre des lits de camp dans la chambre. Non, ce n'était pas possible ! Mais quand la panique s'emparait de la tribu – comme un ouragan ratisse un village –, tout le monde se regroupait et l'incompréhension face à cette dame en blanc rigide et peu souriante semblait totale.

C'est là que Farah – notre interne caméléon aux frontières des cultures et des traditions – est intervenue et qu'elle a sauvé la situation. Avec le marabout, on l'a observée s'installer posément au milieu de l'assemblée. User du « Assalamu alaykum… Wa alaykum assalam », accepter poliment le thé à la menthe, croquer goulûment dans une corne de gazelle. Et surtout mettre les mots – comme on place les couleurs sur un tableau – pour décrire les troubles du vénéré père de famille. Et sitôt la confiance installée au sein du clan, le dialogue a pu être renoué.

De mon côté, j'assiste avec admiration aux progrès de M. « Tan-To-La ». Certains mots arrivent même à sortir de sa bouche sur un mode automatique comme les « bonjour », « merci », les « Lucette » par-ci, « Lucette » par là. Quel tableau attendrissant de les voir converser tous les deux ! À l'italienne, avec les mains, avec les yeux. De l'entendre, elle, fredonner – de sa voix fluette et son « franglais » irrésistible – les paroles de Leonard Cohen. Et lui, tentant en vain de la suivre en regardant ses lèvres comme le ferait un malentendant. J'étais restée sur l'idée que Georges Baron n'avait pas de famille, juste une bonne étoile descendue du train. Et vu leur complicité, je le trouve plutôt bien entouré, jusqu'à ce que je rencontre sa nièce. Celle qui est arrivée la mine contrariée, puis s'était postée devant sa porte, les mains serrées sur son sac à main comme s'il était capable de la soutenir.

On lui avait tous donné la permission d'entrer chambre 58. Ce qu'elle avait décliné poliment, prétextant qu'elle guettait l'arrivée de quelqu'un. Un neveu ? Un ami ? Non. Un notaire ! Quand il s'est présenté tout sourire, avec un testament fin prêt que l'oncle malade n'avait plus qu'à signer, le nôtre s'est effacé brusquement pour laisser place à de l'écœurement. Le pauvre homme, on lui est tous tombés dessus – le marabout le premier – avant de lui apprendre que la vénale héritière ne lui avait pas tout dit. La mauvaise chute se révélait être un A.V.C., Georges Baron n'était pas bègue mais aphasique et il ne pouvait du coup consentir de rien. Le notaire avait pâli à vue d'œil et était parti la tête basse, se confondant en excuses.

Pourquoi avoir envie de m'isoler ce soir ? Pourquoi pas ? Me voilà dans mon cocon sous ma couette à découvrir les mélodies planantes de Leonard Cohen et sa voix rocailleuse aux vertus thérapeutiques. Je les chante moi aussi du bout des lèvres, sans les moustaches qui vont avec.

«*If I didn't have your love*»… «*It seemed the better way*»… «*Traveling light*»…

N'est-ce pas un beau point d'orgue à cette journée instructive ? En y repensant, mon internat de neurologie me donne vraiment l'impression d'en apprendre sur l'homme en général. Ses relations aux autres, les liens qu'il tisse avec sa famille. Je me demande comment je réagirais, moi, si un de mes parents était malade. Sur un gradient allant des Baron aux Belkhacem, où se placerait ma famille ? Le clan Alessi se rapprocherait-il de l'Afrique du Nord ? J'aime à le croire. Et les Madec ? Et la tribu que je construirai un jour ? À quoi ressemblera-t-elle ? À un troupeau d'ours mal léchés fuyant à la moindre difficulté ? Écrivant des haïkus pour se faire pardonner ?

C'est sur cette image que Marie fait irruption dans ma chambre et qu'elle me fait sursauter. J'enlève mon casque en rouspétant :

— Merci de frapper.

— Tu n'entendais rien… Tu… Tu ne descends pas, ce soir ? On a commandé des sushis.

Sur rails, avec des petits drapeaux ? Comment dire ? Non, merci.

La présidente s'approche et s'assoit sur mon lit d'un air grave.

— Matthieu… Il est revenu.

— Je sais.

— Farah vient de me dire qu'il te faisait languir.

— Disons qu'il m'évite et que je ne comprends pas bien pourquoi.

La présidente se mord la joue, et ça ne me dit rien qui vaille.

— Marie-Lou, je dois t'avouer quelque chose. Tu ne vas pas être contente.

— Je t'écoute.

— En fait, Matthieu s'est présenté à l'internat l'autre soir, et il se pourrait que je l'aie mal accueilli.

— Je t'écoute.

— Je pensais que tu l'avais déjà mis au courant pour

la grossesse, la fausse couche… et tout, et tout. Je pensais que… Enfin, il s'est énervé.

Je la regarde, totalement perdue. *Pourquoi réagir de cette manière ? Du soulagement, de la tristesse, j'aurais compris, mais là ?*

— Qu'est-ce que tu lui as dit ?

— Ce que je pensais des mecs qui ne prenaient pas leurs responsabilités et qui…

— Marie !

— Oui, bon… Faut dire, il m'a un peu cherchée et…

Je la coupe, les dents serrées :

— Fais-moi plaisir… À l'avenir, ne parle pas à ma place et surtout, surtout n'essaie pas de me défendre.

Je replace mon casque en la fusillant du regard. Cette bavarde est exaspérante ! Elle aurait reçu Matthieu les seins nus en agitant sa pancarte que ça aurait été la même chose ! Je comprends mieux maintenant son jeu de cache-cache. Que pense-t-il ? Que je suis fâchée ? Que tout le monde est au courant et que j'ai ligué tout l'internat contre lui ? Marie-la-catastrophe ! Celle qui revient déjà à la charge et soulève un de mes écouteurs :

— C'est fou, je croyais qu'il était mort…

— Qui ?

— Ton ficus ! T'as vu, à cet endroit, le tronc verdit.

Je m'approche de l'arbre à photos en soupirant et donne raison à Marie. On perçoit même un petit bourgeon, juste sous le portrait de Matthieu. Seule trace de vie sur cette branche morte.

Son visage se fend alors d'un sourire espiègle :
— Qui sait ? Peut-être y a-t-il encore un peu d'espoir...

22

L'amour est dans le pré

Marie-Lou

✓ *Nombres de bourgeons apparus cette semaine : 4.*
  Un miracle !
✓ *Première phrase sortie de la bouche de Georges*
  Baron : « Docteur, j'apprends la patience. » À qui
  le dites-vous ?

Il paraît que le stress nuit à la récupération après un A.V.C. Alors, je ne lui ai pas dit pour sa nièce. À quoi bon ? Elle ne reviendra pas, on y veillera. Le grand chef a même écrit au procureur de la République pour que M. Baron bénéficie d'une sauvegarde de justice. Mesure qui lui assurera une protection juridique tout en lui conservant l'exercice de ses droits. Il pense toujours à tout, le marabout.

Nos deux M. B. rentreront bientôt chez eux. Pour le premier, Lucette a déjà pris ses dispositions. Elle restera à Quimper et compte bien chanter du Leonard

Cohen jusqu'à la fin de ses jours s'il le faut. L'autre M. B. progresse, lui aussi. À son retour, ses arrière-petits-enfants continueront à lui rendre visite à la sortie de l'école et à lui faire la lecture en sautant sur ses genoux. Chez eux, la vie reprendra son cours. Plus rapide, moins monotone qu'à l'hôpital. Même si le service du docteur Breton est le mieux noté de toute la région !

Apprendre la patience. La première phrase de M. B. résonne en moi ainsi que le dicton du marabout qui avait suivi : « Qui trop se hâte reste en chemin. » C'est eux qui ont raison. Si M. B. doit se réapproprier le langage, sans précipitation, moi, c'est Matthieu que je dois me réapproprier, sans le brusquer. Je dois le laisser revenir. Lui faire confiance. Quand va-t-il montrer le bout de son nez, à la fin ? Je suis en train de rêvasser, un stylo dans la bouche, quand Farah me fait revenir à la réalité :

— Toi, je ne sais pas où tu as l'esprit, mais sûrement pas au travail !

— Quoi ?

— C'est bien ce que je disais… On rentre ? Il y a le tonus[1] à préparer, et je suis sûre que Marie s'active déjà. Je lui ai promis de faire un gâteau.

Le fameux tonus de décembre ! Tradition oblige, tout le monde a joué le jeu – même Anna et Eduardo, venus de Brest pour l'occasion. Le thème « L'amour est dans le pré » a beaucoup inspiré la présidente qui,

_____

1. Nom donné aux soirées organisées à l'internat.

comme d'habitude, a vu grand. Des bottes de paille décorent la piste de danse où gambadent déjà deux poules et un lapin. Heureusement, l'idée du tas de fumier et du cochon a été rejetée à l'unanimité ! Sacrée Marie.

Alors que je monte sur l'estrade pour lancer la musique, la vision d'ensemble qui s'offre à moi semble surréaliste. Il faut le voir pour le croire. L'art du déguisement serait-il au programme des études de médecine ? Quand certains l'utilisent à leur avantage – comme Eduardo en chippendale cow-boy et la diva en fermière sexy – d'autres, eux, révèlent leur côté bestial et n'ont vraiment pas peur du ridicule. Pour preuve, Marie et Anna qui sautillent dans leurs habits de chevrettes tout en installant le buffet Bertrand, en vache normande, se bagarrant avec la machine à bière et Alexandre, en mouton musicien, en train d'accorder sa guitare. J'attends son signal pour envoyer la mélodie qui va l'accompagner dans sa reprise d'Ed Sheeran. Drôle de tableau que ce mouton égrenant les notes sous les battements d'ailes affolés des volailles.

Anna m'apostrophe d'une voix chevrotante :
— Au fait, tu ne m'avais pas dit !
— Quoi ?
— Que tu connaissais l'homme de ma vie ! *Elle secoue la tête en direction du bar où Eduardo sirote un mojito.* Il m'a proposé de rentrer avec lui à Buenos Aires.
— Et ?

— Eh bien, je réfléchis.

Et voilà que l'autre chevrette – la sœur jumelle – se met à s'agiter en levant les yeux au ciel :

— Non mais, je rêve, les filles ! Dans quel monde vivez-vous ? Celui des princes charmants ? L'une est prête à garder un môme sous prétexte d'être éperdument amoureuse, et l'autre à tout plaquer pour suivre un chippendale ! Merde, réveillez-vous !

Et moi de répondre du tac au tac :

— Rappelle-nous l'intitulé de ta soirée… L'amour, c'est ça ? Eh bien, on est en plein dans le thème !

À la recherche d'un peu d'air frais, je rejoins Alexandre sur le perron. Le mouton, un peu éméché, m'avoue mourir de chaud sous sa peau de bête et n'être pas contre une petite tonte au cours de la soirée. Ce que ne manque pas de prendre au mot la vache qui passait par là. Et voilà Bertrand qui s'empresse d'aller chercher une paire de ciseaux et se lance dans une imitation d'Edward aux mains d'argent – version bovine – sous les éclats de rire de l'assemblée.

— Mince, la caution pour le déguisement ! gémit Alexandre dans un éclair de lucidité.

C'est là qu'un moteur vient pétarader derrière nous et attire notre attention. Je manque de lâcher mon verre. Mes orteils se crispent dans mes sabots. L'expression « Qui trop se hâte reste en chemin » me revient à l'esprit et je reste plantée là, interdite.

Matthieu fait son entrée en grande pompe, assis sur un vieux tracteur rouge et gris, Écume courant derrière lui. Avant même de descendre de son carrosse, il rive ses yeux aux miens. Des yeux qui se plissent, doux et souriants, et qui font abstraction du reste. Il s'arrête à quelques centimètres, sa fossette se creuse en même temps que ma poitrine. Celle qui bat la chamade et me coupe la respiration.

— Il paraît qu'il y a une fête par ici.

Ma voix s'enroue.

— Oui, à ce qu'il paraît… l'amour est dans le pré.

— C'est bien ce que je me disais.

— Tu viens d'où comme ça ?

— Ma ferme est juste à côté.

Je détaille son déguisement : ses bottes, son chapeau de paille, la terre qui macule ses bras et son visage.

— Tu ne fais pas les choses à moitié.

— Jamais.

Il me dévisage à son tour – mes cheveux crêpés, ma salopette bleue trop large, mes sabots en bois – et s'approche encore.

— Je cherche une fermière… Une sorte de Joconde dans sa version rurale, un peu sauvage. Je crois que je l'ai égarée en route avec mes conneries. Une histoire d'œuf pas très claire. *Je me raidis avant de baisser les yeux. Lui, me soulève le menton.* Tu veux faire un tour sur mon Massey Ferguson ? *Mon haussement d'épaules pas très convaincu semble l'amuser.* C'est ma technique de drague… Certains sortent leur Porsche Carrera, moi, c'est mon tracteur. Tu vas voir, ça laisse plus de temps pour admirer le paysage…

C'est là qu'il me tire par le bras et que je ne réponds plus de rien. Que je me retrouve en amazone sur les genoux du *gentleman farmer*. Du romantisme à la Matthieu sous les effluves de diesel et le bruit assourdissant du moteur. Je souris à la lune. Lui, me serre encore plus fort et ronronne dans mon cou. Et si on faisait le tour du monde ? Écume, qui tire la langue derrière nous, ne semble pas de cet avis.

Après notre petit tour de manège, la soirée bat son plein. Matthieu et moi traversons la piste de danse, collés-serrés, comme si on avait peur de se perdre. Les poules, coursées par le gros labrador, galopent entre nos jambes tout en lâchant des fientes visqueuses qui collent aux semelles. On se regarde, à la fois amusés et consternés. Sur notre chemin semé d'embûches, on croise Anna que son cow-boy argentin vient d'attraper dans son lasso. Lorsqu'elle salue son cousin d'un air faussement hautain, Eduardo, lui, le fusille du regard comme si le mochi lui avait laissé un arrière-goût de piment dans la bouche qu'il n'était pas près d'oublier. Matthieu reste de marbre, attrape un verre de punch et trinque avec Alexandre. Pauvre mouton, sur qui la soirée a laissé des traces. À quoi ressemble sa robe maintenant ? À un Babygros ? Je cligne des yeux en agrippant le bras de mon fermier. Ces visions commencent à me donner le tournis. Le punch, sans doute. Où sont Bertrand et Farah ? Déjà partis se coucher ? Et Marie ? Aïe. Je viens de la repérer en train de se trémousser sur une botte de paille faisant office de podium. Le clou du spectacle. Quand je lui fais signe, elle m'invite à la rejoindre d'une voix encore plus éraillée que d'habitude :

— Marie-Louuu… Allez viens ! Méfie-toi des fermiers qui ne maîtrisent pas bien leur semence !

Je secoue la tête d'un air consterné. Elle titube. Matthieu tente de riposter, mais je l'attire déjà vers l'étage. Fini les enfantillages.

23

Les pendules à l'heure

Yann était revenu en métropole durant l'été. Un aller-retour qui se voulait express mais qui se prolongea. Les prémices d'un retour définitif et d'un nouveau départ. Quelque chose avait changé. Il le sentait, mais quoi ? Comme s'il avait remis les pendules à l'heure. Une partie de lui était restée là-bas, au port du Moulin-Blanc.

Le procès fut plus éprouvant que prévu. Cette sordide histoire le ramenait à une période douloureuse de sa vie. Sa faillite familiale n'avait pourtant rien à voir avec ce trafic de stupéfiants mais chronologiquement le point de rupture était le même. Pour lui, tout était lié et lui revenait en pleine figure depuis la descente de l'avion. Au tribunal, son témoignage fut précis et concis. Il énuméra d'un ton neutre ce qu'il avait pris soin de noter par écrit. Il se rappela la lame glacée sur sa peau, l'odeur de tabac froid, le tatouage en forme d'ancre. Celui qu'il avait deviné sur le poignet de l'homme assis à quelques mètres de lui, avant de baisser les yeux pour rester concentré.

Le lendemain, il s'était rendu au port du Moulin-

Blanc en compagnie de Tom. Il voulait revoir Matthieu, au moins une fois avant de partir – de loin, sans l'approcher – comme un tableau vivant qu'on voudrait s'incruster dans la rétine pour ne pas l'oublier. Afin de se fondre dans le décor, les deux espions avaient organisé une petite partie de pêche près du bateau avec leurs chapeaux de paille et leurs lunettes noires.

— Tu m'auras vraiment tout fait ! avait déclaré Tom en tournant le moulinet, d'une mine à la fois amusée et affligée. Je te préviens, si tu veux revoir Brigitte, tu te débrouilles tout seul.

Yann, de son côté, riait jaune. Pourquoi devoir se déguiser pour se cacher de son propre fils ? Cette situation le mettait mal à l'aise, et il n'avait éprouvé aucune joie ni satisfaction en relevant un petit éperlan frétillant au bout de sa canne.

— On dirait que la chance te sourit, mon ami.

Ce n'était pas le poisson que Tom lui avait désigné de la tête mais l'extrémité du ponton. Là où Matthieu venait d'apparaître aux côtés d'une jolie brune en ciré jaune. Le pêcheur, surpris et ému, lâcha sa prise dans les eaux huileuses du port, puis reprit sa position d'observateur. Du coin de l'œil, il vit son fils lui tourner le dos. Pourquoi marchait-il à reculons avec une grosse caisse dans les bras ? Sans doute pour mieux la regarder. Faut dire, elle était gracieuse, cette petite ! On aurait dit une danseuse avec ses grandes jambes effilées sautillant et flottant sous cet épais manteau. Matthieu faisait exprès de zigzaguer pour lui faire croire qu'il allait tomber à la baille, histoire de la faire crier. Et ça marchait à tous les coups !

— Elle s'appelle Marie-Lou, lui glissa son informateur, sous le charme. C'est la colocataire d'Anna, voilà tout ce que je sais.

À ce moment, son fils se retourna de nouveau. Une lueur taquine illuminait ce regard franc et intransigeant. En l'espace de quelques secondes, Yann le trouva changé. Quelque chose dans son attitude, sa façon de marcher. Plus abrupte et virile. Ce garçon avait grandi trop vite. Ou alors, c'était lui qui était parti trop longtemps. Peut-être un peu des deux. Comment l'aborder ? Lui dire quoi ? Qu'il repartait dans quelques jours ? Tout lui raconter ? Le procès, sa vie là-bas ? Aujourd'hui, il s'en sentait incapable. Et pourtant, il avait la gorge serrée de ne pouvoir l'approcher. La gorge serrée de le voir sortir du port, ce soir-là, sans l'emmener à son bord. Et il ne quitta pas le bateau des yeux jusqu'à ce que le mât disparaisse derrière les grues bleues de la rade de Brest.

La veille de son départ, Yann n'était plus sûr de vouloir partir. Il tournait en rond sans parvenir à prendre de décision. Tom l'avait comparé à un vélo déraillé :

— Tu pédales dans le vide, avait-il plaisanté, avant de lui proposer une balade à bicyclette – une vraie – pour s'aérer les neurones. Tom connaissait par cœur cette route côtière sinueuse et vallonnée qui ne laissait jamais de répit à la respiration. Il prenait un malin plaisir à semer son ami dans les montées et à l'attendre dans les descentes pour le narguer. Et c'est d'ailleurs en se retournant qu'il fit une embardée. Une petite embardée sur la gauche, un mètre tout au plus. Assez pour percuter le camion en train de le doubler. Seul le casque avait cogné, un bruit sourd presque imperceptible qui contrastait avec la violence du choc. Yann le vit tomber sous ses yeux, horrifié et impuissant. À ce moment, il n'était plus question de monter dans l'avion.

Les minutes qui suivirent s'écoulèrent au ralenti. Tom ne reprit pas connaissance. Ni dans le fourgon du Samu, ni à son arrivée aux urgences de la Cavale-Blanche. Lorsque Yann aperçut Matthieu en blouse blanche qui poussait le brancard où son ami était allongé, il se dit que la vie était faite d'étranges coïncidences. Que Tom était entre de bonnes mains et qu'il allait s'en sortir. Tout en reculant pour ne pas être vu, il avait entendu le diagnostic : un hématome extradural. Une poche de sang sous pression qui comprimait son cerveau. Une sorte de bombe prête à exploser qu'il fallait désamorcer.

Sur un corps de sportif et de marin endurci, la guérison fut plus rapide que prévu. Quelques semaines de flottement, de vertiges et de maux de tête qui le faisaient grimacer en silence, quelques oublis et erreurs d'inattention. Rien de grave, à l'entendre. De toute façon, Tom ne se plaignait jamais.

Fin juillet, Yann décida de rentrer.

— Tu en es sûr ? Comment je vais faire sans mon garde-malade ? avait gémi Tom sans parvenir à le faire changer d'avis.

— Trouve-toi une infirmière ou une copine.

— Et pourquoi pas les deux, mon capitaine ?

De ce côté-là, Yann ne s'en faisait pas pour lui. Ils s'étaient dit au revoir, avec légèreté, le sourire aux lèvres, comme s'ils avaient prévu de se revoir le lendemain. Avant de se rendre à l'aéroport, Yann avait fait une halte au port du Moulin-Blanc. Juste un arrêt au ponton M, celui du bateau à coque rouge, le sien. Il n'avait pas croisé Matthieu cette fois-là, mais qu'importe ! Les lieux suffisaient à le lui rappeler, comme le vélo noir posé près de la capitainerie et ce gros labrador au pelage fauve qui courait sur le quai après les goélands. Il avait gardé cette enveloppe avec un timbre de la Réunion. Cette lettre, il l'avait écrite plusieurs fois dans sa tête, allongé dans son hamac. C'était comme une main tendue, un premier pas qu'il espérait pas trop maladroit. Il en changeait quelquefois un mot par-ci, un mot par là et avait fini par la connaître par cœur. Il la coinça sur le pont du bateau, au niveau de la trappe d'entrée, bien en évidence.

Quelque chose avait changé. Il le sentait, mais quoi ? Comme s'il avait remis les pendules à l'heure. Un jour, il reviendrait. Il repartirait de zéro. Mais sans son fils ça n'en valait pas la peine.

24

Zumba… Hé… Zumba… Ha…

Marie-Lou

✓ *Nombre de poils de chien dans mon lit : des cen-*
   taines ! D'ours mal léché ? Un seul. Mais qui prend
   toute la place, qui ronfle et qui me redonne le sou-
   rire. Enfin.

✓ *Tailles de soutien-gorge de plus, ce mois-ci : 2.*
   Du 95 C ? C'est énorme ! Ça dure longtemps, une
   grossesse nerveuse ?

Je l'ai regardé une bonne partie de la nuit. Comme
un trophée de chasse tant escompté. Faut dire, il avait
été dur à attraper, mon ours ! Je souriais toute seule
sur l'oreiller en laissant libre cours à mon imagination.
Qu'aurais-je pensé de lui si je l'avais vu la première fois
en train de dormir ? Avec son physique de chippendale
négligé – le Breton, pas l'Argentin –, sa peau bronzée
sous sa barbe de trois jours et ses cheveux en pagaille ?
Je sais. J'aurais passé mon tour, désintéressée par cette

174

plastique de séducteur. Trop de muscles, de poils, trop de testostérone. C'est là qu'il s'est mis à grogner et à ouvrir une paupière.

— Tu fais quoi ?

— Je me rince l'œil.

— Ah...

Il a souri puis posé son bras lourd sur ma poitrine avant de se rendormir. Qu'a-t-il de si différent ? Un cerveau ? Reptilien, primaire et bouillonnant. Mon préféré. Nouveau sourire sur l'oreiller. L'amour est dans le pré, c'est aussi simple que ça.

Ce matin-là, j'ai eu du mal à quitter ma tanière et mes draps bien chauds. Le marabout l'a tout de suite remarqué. L'arrondi de mes joues plus rose, le coin des lèvres plus haut que d'habitude. Cédric Breton arborait un air goguenard comme le clin d'œil d'un smiley à la fin d'une phrase. Plein de sous-entendus. Si bien qu'une fois à sa hauteur, j'ai passé une main sur mon bas-ventre en gonflant ma poitrine, comme si de rien n'était. Histoire de le calmer pour de bon. Seule Farah a compris mon petit jeu et m'a glissé à l'oreille :

— Il va bien finir par voir que tu n'es pas enceinte. Tu comptes le faire marcher encore longtemps ?

— Je ne sais pas, ça m'amuse.

— En tout cas, ça fait plaisir de te voir de si bonne humeur. Raconte ! Avec Bertrand, on en est restés au tour de tracteur.

Et j'ai laissé mariner la curieuse jusqu'au soir. Le grand chef ayant décidé, malgré mon état, de me faire courir dans tout l'hôpital sans me lâcher une seule seconde.

Les jours suivants, je répétais mon petit scénario en ajoutant quelques nausées et fringales subites. Et parfois ces envies me prenaient sans même avoir besoin de jouer la comédie. Comme la fois où Cédric Breton m'a surprise le nez dans les macarons de M. Baron. Ceux qu'il nous a offerts le jour de sa sortie et que j'ai engloutis d'une traite sans réfléchir. Sans parler des délicieuses cornes de gazelle de M. Belkhacem ! Combien de tailles de pantalon en plus, ce mois-ci ? Deux. Hum.

Farah a raison. Ce petit jeu a assez duré. De toute façon, mes pommettes ont perdu leurs couleurs depuis que Matthieu est retourné sur l'île de Groix. Juste un aller-retour, le temps d'aider son père à s'installer, retaper sa petite maison, finir la fameuse mezzanine, prendre le temps de voir Josic et Charly. Chargé comme programme pour «juste un aller-retour», mais je n'ai rien dit. Il faut que je m'y fasse, sa vie de nomade est censée durer jusqu'au mois de mai. Que va-t-il faire de ce congé sabbatique, maintenant que son père est revenu de la Réunion ? C'est la grande question. Restera-t-il à Quimper avec moi ? À m'attendre dans ma chambre toute la journée ? J'en doute. Fera-t-il quelques gardes aux urgences, des remplacements en ville pour arrondir ses fins de mois ? Naviguera-t-il entre Bénodet et Groix ? Entre sa mère et son père ? Ou partira-t-il plus loin en voyage ?

Il pleut aujourd'hui. Un de ces temps maussades où les nuages sont bas et la nuit tombe plus tôt. Lorsque je sors du service, je dois lutter contre le vent pour avancer et recroqueville mon cou dans mon écharpe. Les feuilles mortes volent autour de moi et s'engouffrent à travers la porte de l'internat. Là où m'attend une autre tornade : Marie.

— Vite, change-toi, t'es en retard !

Le cours de zumba du mercredi soir ! Mince, je l'avais complètement oublié, celui-là. Ce moment d'effervescence cent pour cent féminin, où les garçons commencent à fuir dès qu'on pousse les tables pour transformer le réfectoire en immense salle de danse. J'enfile en quatrième vitesse un collant, des baskets et retrouve le groupe qui attend déjà au pied de l'estrade.

«Zumba... Tout le monde danse la zumba...»

La présidente, affublée d'un survêt' fluo, crie plus qu'elle ne chante, saute plus qu'elle ne danse, mais qu'importe ! Ça a le mérite d'être communicatif.

«On décompresse sur la zumba... Hé... Zumba... Ha...»

À nous de prendre au mot les paroles de cette subtile chanson et de répéter en chœur «Zumba... Hé... Zumba... Ha...» en dessinant des X géants avec nos bras, comme si on voulait balayer d'un geste le stress du jour et le sérieux de notre fonction. Que ça fait du bien de se lâcher ! J'imagine la réaction de nos patients s'ils décidaient de faire une halte à l'internat à ce moment-là. Celles de Marie reconnaîtraient-elles leur gynécologue en herbe sur le podium ? Celle qui vient d'inventer un pas infaisable à mi-chemin entre la danse country et le flamenco ? Farah, en bonne élève, s'essaie dans une version plus orientale que je m'empresse de reproduire. Mais rien n'y fait. Mon ondulation de bassin ne parvient pas à remuer mes fesses. Surtout quand deux grosses pattes velues viennent s'emmêler entre mes jambes et me faire trébucher.

Écume ! Voilà qu'il lèche mes jambes à travers mon collant et fouette mes voisines avec sa queue. Je l'attrape par le collier avant qu'il les renverse toutes devant le sourire amusé de son maître, appuyé contre la porte. On dirait que son bateau vient d'accoster dans le jardin, sa veste de quart ruisselle sur le carrelage et forme déjà une flaque à ses pieds. Il s'ébouriffe en passant une main dans ses cheveux sans me quitter des yeux. Ses joues sont rougies par le froid et son regard rieur mêlé d'une douceur triste.

— Sacré déhanché.

— Tu n'as encore rien vu… Tu restes avec moi, ce soir ?

— Marie-Lou ! râle l'animatrice du haut de son estrade. Tu es en train de rater toute la choré…

Quand Écume vient frotter le haut de son crâne sur ma main, Matthieu, lui, recule et baisse la tête. Je provoque manifestement des réactions inverses chez le maître et le chien.

— Je repasse tout à l'heure, marmonne-t-il avant de tourner les talons.

Tout à l'heure ? Ça sous-entend combien de temps dans le langage Madec ? Plusieurs jours ? À minuit, toujours rien. Fatiguée de tourner en rond dans ma chambre, je descends faire le guet. C'est là que je croise Bertrand, en blouse, qui revient des urgences :

— T'as vu Matthieu ? Quelle histoire ! Il t'a dit pour sa mère ?

Je le regarde, interdite.

— Il est arrivé quelque chose à Brigitte ?

— Je viens de m'occuper d'elle. Rien de grave. Une mauvaise chute. Matthieu a dû revenir de Groix en catastrophe, en pleine tempête, en plus. Elle est au bloc en ce moment… Une fracture déplacée de la cheville… Au fait, t'aurais de la place dans ton service pour la prendre ? Elle serait mieux en neurologie, ça serait bien de refaire le point sur son Parkinson…

Je ne prends pas le temps d'écouter la fin de sa phrase. Me voilà en pyjama à courir sous la pluie battante. Splash, splash. Dans les couloirs de l'hôpital, mes chaussons imbibés laissent leurs empreintes sur le carrelage. Je rase les murs en espérant ne croiser personne et finis par le trouver dans la salle d'attente des urgences. Il est assis, tout seul, le visage fermé, en train de fixer le mur.

— Tu cherches ton lit ? murmure-t-il sans même me regarder.

— Très drôle… Tu aurais pu me le dire.

— J'étais venu pour ça.

— Alors, explique-moi pourquoi je suis la dernière au courant !

Je m'assois à ses côtés.

— Tu étais en train de danser.

— Et ?

— Ça faisait longtemps que je ne t'avais pas vue t'amuser. Je ne voulais pas t'embêter.

— Matthieu…

Je glisse mes doigts entre les siens avant qu'il referme sa main sur la mienne. Et le courant se diffuse depuis la pulpe de nos phalanges.

Chez les Madec, c'est comme un château de cartes. Quand il y en a une qui tombe…

Et on soupire à l'unisson sous la lumière blanche des néons.

25

La piqûre de rappel

Marie-Lou

✓ *Temps d'attente à somnoler sur l'épaule de mon marin ? Deux tours de grande aiguille sur l'horloge au-dessus de la porte. Assez pour sécher mes vêtements. Pour que la tempête cesse. Pour redresser les os de Brigitte.*

✓ *Combien de cartes à terre dans le château Madec ? Une seule : la reine de cœur. Le roi, lui, vient tout juste de se relever. Et combien de tours d'horloge pour la remettre debout ?*

Pourvu que le bon docteur Breton se charge personnellement de booster les aiguilles ! Brigitte a intégré le service dans la nuit et pas n'importe quelle chambre : la 58. Celle des patients qui guérissent tout seuls et qui finissent par rentrer chez eux.

Farah sera son interne, elle me l'a proposé spontanément :

— Mieux vaut éviter de tout mélanger. La famille, la médecine.

Je ne l'ai pas contredite elle a toujours raison, Farah. Comment avoir la neutralité et le recul nécessaires vis-à-vis de Brigitte ? Rien que de la voir gémissante au fond de son lit me fait monter les larmes et me donne la nausée. Étaient-ce les effets de l'anesthésie ou le choc émotionnel de la chute qui la rendaient confuse ce matin ? Prise d'une agitation anxieuse, elle répétait en boucle à qui voulait l'entendre :

— Je voudrais savoir le pourquoi du comment… L'inventaire de A à Z…

À chacune de ses phrases, Matthieu m'interrogeait d'un regard inquiet. Mon haussement d'épaules et mon aveu d'impuissance achevaient de le rendre nerveux. Il commençait lui aussi à s'agiter autour du lit. Si bien qu'au milieu de la matinée, il s'est éclipsé sans un mot, sans même me dire au revoir.

Au fil de la journée, Brigitte s'est réapproprié «le pourquoi du comment», comme un train qui retrouve ses rails. Elle n'avait plus aucun souvenir des dernières vingt-quatre heures et se demandait bien pourquoi ce plâtre alourdissait sa jambe droite.

— Il ne manquait plus que ça… Comment je vais pouvoir marcher maintenant ? Je serais bien incapable de sautiller avec une béquille… Un fauteuil ? Hors de question ! *Le train s'était remis en marche et avait tendance à s'emballer.* Où est Matthieu ? *Bonne question.*

Je lui ai tendu mon téléphone pour qu'elle puisse le rassurer.

— Allô ? Allô ? Je n'entends rien, a-t-elle rouspété, avant de me redonner le combiné.

Matthieu avait déjà pris le large, profitant du calme après la tempête. J'entendais les voiles qui faseyaient et le vent qui couvrait sa voix. Une voix lointaine qui résonnait comme un écho :

— Allô... Marie-Lou ? Comment va-t-elle ?

— Dans les rails !

— C'est-à-dire ?

— Beaucoup mieux. Brigitte a même accepté de sortir de son lit... Et à peine installée dans le fauteuil, elle a réclamé ses perles !

— Ah... Et elle a passé une imagerie cérébrale ? s'est inquiété le pragmatique chirurgien.

— Non.

— Et vous lui avez prescrit un traitement particulier ?

— Ben, non. Rien de nouveau.

Lorsque je lui ai parlé de l'effet de la chambre 58 et de la méthode «Cédric Breton», douce et bienveillante, il a cru que je plaisantais et j'ai ajouté avant de raccrocher :

— Elle t'embrasse...

— Et toi ?

Sa question m'avait surprise. Comme s'il en doutait.

— Moi aussi... Tu reviens quand ?

— Tout à l'heure, m'a-t-il répondu avec un sourire dans la voix.

Je n'avais pas besoin de le voir pour le deviner.

Et voilà qu'après six jours, le «tout à l'heure» dure toujours. Brigitte a fini par accepter le fauteuil roulant. Le marabout l'a choisi tout confort avec coussin d'assise en mousse et repose-pied réglable pour allonger sa jambe. La Reine-mère, comme Matthieu l'appelle, trouve toujours quelqu'un pour la pousser. Elle a même établi un planning : le matin, c'est Gwen, l'aide-soignante, qui l'accompagne chercher son journal l'après-midi, Cécile, la kiné, la descend en salle de rééducation. Et puis, il y a Nicolas, l'infirmier, qui l'emmène avec lui lors de ses pauses-cigarette. Ils discutent cinéma, littérature, cuisine et prennent l'air. Une grande bouffée sous les volutes de fumée.

Le « tout à l'heure » s'éternise, et les rituels de « l'Internat Story » occupent toutes mes soirées. *Jeudi : soirée à thème. Dimanche : pizza devant l'écran. Mardi : badminton.*

Justement, ce soir, Bertrand est venu seul au club. Il tape plus fort que d'habitude, grogne sur le filet et déchire le volant à plusieurs reprises. Et tout ça, le visage fermé et la victoire peu enthousiaste. Ce comportement inhabituel et l'absence remarquée de Farah laissent libre cours aux suppositions, mais personne n'ose lui poser de questions. Pas même Marie, c'est dire !

Dégoulinante de transpiration et pressée de me retrouver sous la douche, je décline le pot d'après-match et regagne ma chambre. En poussant la porte, le halo orangé de ma lampe de chevet attire mon attention. Une silhouette assise en tailleur sur mon lit attend dans la lumière tamisée. Plus petite et menue que celle d'un ours, plus féminine aussi. Farah. Son regard est perdu dans le vide, et le rimmel strie ses joues comme deux coulées de boue. Je m'assois à ses côtés, ses mains tremblent sur ses genoux. Je les laisse faire sans oser les toucher et j'attends que mon amie rompe le silence :

— Il y a eu des explosions aujourd'hui près de Lattaquié. À proximité de l'hôpital. Cent vingt et un morts, des collègues à moi. *Je frissonne.* La piqûre de rappel... Ce drame est la piqûre de rappel, murmure-t-elle en boucle.

Je lui agrippe les mains en cherchant quelque chose à lui répondre, mais rien ne vient. Comment réconforter l'inconsolable ?

— Tu te rappelles, je t'ai parlé d'une patiente atteinte de sclérose en plaques cet après-midi, poursuit-elle. Elle me disait vouloir oublier sa maladie, essayer de vivre normalement, comme les autres... Et quelquefois, il y avait ces piqûres de rappel qui s'imposaient à elle, lorsqu'elle se coupait en cuisinant, ou se piquait le doigt avec une aiguille. Des actes qui, pour elle, étaient des pieux plantés dans le cœur.

— Oui, je me souviens... Tu sous-entends que la guerre en Syrie, c'est comme une maladie ?

— Injuste et incontrôlable, oui. Ce qui vient de se passer, c'est ma piqûre de rappel... J'ai la rage et j'aimerais comprendre comment mon pays en est arrivé là. Il faut que j'y retourne, enterrer les morts, dire au revoir. Et puis, j'ai besoin de voir ma mère, mon frère, de les prendre dans mes bras, de les sentir. J'y pensais depuis longtemps mais là, c'est devenu urgent.

— Y aller ? Mais comment ?

— Avant, je traversais le Liban en guerre pour rentrer chez moi à présent, c'est l'inverse. Je prendrai un taxi depuis Beyrouth et je passerai la frontière. Mes billets sont pris, mon frère a tout organisé.

— Combien de temps ?

— Une semaine.

C'est un visage obstiné qui me fait face. Un visage de guerrière. De celle qui ne changera pas d'avis. Maintenant qu'elle a lâché le morceau, elle cesse de pleurer et essuie ses joues d'un revers de main en reniflant. Rien ne sert de l'en dissuader. Sa décision est prise et c'est forcément la bonne, car Farah a toujours raison.

— Bertrand ne comprend pas. On s'est disputé. Il a claqué la porte.

— Le contraire m'aurait étonnée. Pas toi ?

— Si, soupire-t-elle.

Je lui tends une boîte d'After Eight – spécial réconfort – qu'elle décline. Et c'est moi qui finis le paquet en l'écoutant parler de son pays.

— Mes racines me manquent terriblement. J'éprouve le besoin animal de réveiller mes sens, de retrouver les odeurs. Celle de la fleur d'oranger, de l'herbe mouillée, du vent sec et très doux de l'hiver. De retrouver les images. Celle de la mer bleu turquoise qui reste fidèle à l'endroit malgré la guerre. Calme et majestueuse. Le papier peint jauni à grosses fleurs du salon. Les mains potelées de ma mère. De retrouver les sons. Le joyeux vacarme des klaxons dans les rues de Lattaquié, la mélodie scandée des vendeurs du marché. La langue qui résonne dans ma tête, une fois couchée. L'arabe.

Une larme roule jusqu'à sa bouche dans un profond soupir. Je la prends dans mes bras et me vient l'idée de lui raconter mes racines savoyardes. Ancrées dans les

186

montagnes de la vallée de l'Arve. Moins exotiques, plus accessibles, mais essentielles. J'arrive même à la faire sourire en lui parlant des odeurs de cochonnaille de la boucherie d'oncle Jean. Et de celle de la tomme au marc de raisin. De la tarte aux myrtilles de Madeleine. Mes doigts dans la neige. Sur la peau de mouton posée sur le canapé du salon.

À ce moment, on frappe à ma porte et Bertrand apparaît dans l'embrasure. Il n'a plus l'air fermé, ne semble plus en colère. Juste triste.

— Tu viens ? articule-t-il doucement.

Et la guerrière à la fleur d'oranger se laisse aimanter par sa main.

26

Le retour au bercail

Tom leur faisait de grands signes depuis le hall de l'aéroport de Brest, comme s'il avait peur d'être noyé dans la foule. Et pourtant, il n'y avait que lui derrière cette vitre.

— C'est mon ami de fac, avait précisé Yann à son fils, avec une certaine fierté dans la voix. Tu le reconnais ?

— Oui… Et figure-toi que je lui ai même ouvert le crâne, cet été. Il a l'air en forme.

Yann opina du chef, un peu gêné. Il n'avait jamais osé parler à Matthieu de son séjour en métropole. Du procès, de la partie de pêche, de l'accident de vélo. À quoi bon ? Le passé était derrière lui, à lui maintenant de construire le futur. Un futur dont il serait digne, qu'il assumerait complètement. Mais par où commencer ?

Tom leur proposa un chariot pour transporter leurs valises et fut surpris de découvrir deux maigres baluchons.

— Trois ans d'ermitage, rien d'essentiel. Juste deux

livres et un stéthoscope, avait bredouillé Yann, un peu ému, en lui tombant dans les bras.

Derrière lui, Matthieu avait lancé à Tom un regard complice, de celui qui vient d'accomplir sa mission.

— On fait quoi maintenant ?

Cette question coulait de source. Tom venait de la poser sur un ton enjoué, généreux, plein de bonnes dispositions. Et pourtant, Yann n'en avait aucune idée. Il avait pâli, reculé, baissé les yeux. Son corps avait parlé pour lui. Tom comprit tout de suite qu'il lui refaisait le coup du vélo pédalant dans la semoule, du mec qui se demandait s'il valait mieux pisser assis ou debout, de la bernique sur son rocher. Il avait pris les devants et convaincu l'indécis de s'asseoir sur la plate-forme à roulettes sous le regard sceptique de Matthieu. Et il l'avait poussé jusqu'au parking.

— Pin-pon ! Pin-pon ! Tout le monde se pousse, avait-il crié à tue-tête sans avoir peur du ridicule. Un navire à sauver… qui part à la dérive… Pin-pon ! Pin-pon ! Juste besoin de lui trouver un cap.

Et le cap, c'était d'abord d'arriver jusqu'à la voiture. Yann se laissait guider en prenant soin de bien lever les pieds pour ne pas heurter le sol. Il avait retrouvé le sourire et l'optimisme de son ami par la même occasion. Matthieu, de son côté, se demandait s'il n'avait pas commis une erreur lors de l'intervention de Tom. Une partie de son cerveau montée à l'envers ou quelques neurones perdus dans la bataille.

Par où commencer ? *Le Gobe-mouches* s'imposa comme une évidence pour Matthieu. Un endroit atypique et intemporel, parfait pour repartir de zéro. Au volant, Tom était du même avis :

— Quoi de mieux pour réfléchir qu'un verre à la main ?

Yann, lui, s'était muré dans un silence contemplatif. La veille, il avait laissé derrière lui un paysage d'été flamboyant, multicolore, et voilà que défilaient sous ses yeux ces arbres gris dénudés, cette végétation en pleine hibernation. Bizarrement, ce décor monotone ne lui semblait pas triste mais apaisant, rassurant. Comme si le rythme des saisons lui avait manqué et que le cours des choses reprenait avec lui.

En poussant la porte du bar, Matthieu fut surpris par deux grosses pattes qui s'accrochèrent à sa veste.

— Écume ! Mais qu'est-ce que tu fais là ?

Le gros chien l'avait poussé en arrière en y mettant tout son poids et geignait sous ses caresses. Matthieu s'accroupit à sa hauteur. N'avait-il pas confié cette boule de poils à Marie-Lou avant de partir ? Devant le regard triste et larmoyant du labrador, il ne put s'empêcher de cogiter. Pourquoi l'avait-elle laissé ? Était-ce un signe ? Était-elle définitivement fâchée contre lui ? Avait-elle fait une croix sur le chien comme sur le maître ? Et ce n'est pas Yvonne derrière le comptoir – avec sa gouaille de bistrotière – qui allait le rassurer :

— Ce clebs, tout le monde s'en débarrasse ! Marie-Lou puis Anna… Non mais, c'est pas marqué S.P.A. ! s'était-elle exclamée en posant son index sur son front suant.

— Au lieu de médire sur mon chien, amène-nous des pistaches-cacahouètes, avait grogné Matthieu. Et trois «Gobe-mouches», pas trop dosés, juste ce qu'il faut.

— Et une assiette de pistaaaaches-caaacaaahaouètes, c'est parti ! s'était-elle égosillée en crachant ses poumons.

— Eh bien, je vois que tu es ici chez toi, avait souri Yann en s'asseyant sur un des tabourets.

Lui qui, une fois son cocktail insecticide sifflé, avait tout de suite eu les idées plus claires, le langage plus fluide et des projets plein la tête. Il voulait un nouveau départ sans contraintes, sans routine, sans compromis. Matthieu avait levé les yeux au ciel :

— Sauf que tu n'as plus dix ans et que dans le monde adulte, ça n'est pas possible.

— Pourquoi pas ? Ça fait bien trois ans que je vis avec cette ligne de conduite !

Pas de routes, de panneaux de signalisation, de feux, ni de limitation de vitesse. Il naviguerait vers Groix au gré du vent. C'était décidé. Sur cette île – le berceau des Madec –, Yann reconstruirait le puzzle, pièce par pièce, en commençant par les bords avant d'attaquer le centre. Tom avait trinqué :

— À ton retour alors, et bienvenue parmi nous ! Certains croient au rêve américain et toi, c'est le rêve groisillon… Moi je dis : pourquoi pas ? Ça se tente !

Tom n'accompagnerait pas son ami cette fois-ci, une mission humanitaire l'attendait au Cambodge pour quelques mois. Mais à son retour, pourquoi ne pas goûter au paradis insulaire lui aussi ? Ils avaient trinqué à chaque fois qu'Yvonne les avait resservis, l'un avec l'autre, puis avec toutes les autres âmes attablées au comptoir. Matthieu ne prenait plus part à leur conversation. Quand leur optimisme frôlait l'enfantillage, il secouait la tête, excédé, avec des «ça promet» silencieux. Il ne pensait qu'à une chose en ce moment : être ailleurs. Avec celle qui se demandait s'il fallait attendre que son ventre soit rond. Qui espérait une réponse de sa part. Qui avait raccroché. Les voix environnantes étaient devenues lointaines, sa vue s'était troublée puis il s'était levé, son chien collé aux talons :

— J'y vais. Si tu fais escale à Bénodet, je peux t'y retrouver demain. J'ai deux-trois personnes à voir avant.

— Deux-trois ? Ou une seule ?

Matthieu avait feint de ne pas remarquer le demi-sourire bêta et alcoolisé de son père, il n'avait pas relevé. Peut-être serait-il retenu plus longtemps... Il l'espérait même.

En arrivant au port le lendemain, Yann vit Matthieu qui l'attendait sur un banc, la mine sombre et le regard dans le vague il sut qu'il n'avait pas reçu l'accueil escompté et ne lui posa aucune question. Son père lui ressemblait de ce côté-là, il n'éprouvait jamais le besoin de commenter. De ceux qui collent leur front à la vitre et regardent défiler le paysage. Défiler le temps.

À l'approche des côtes de l'île de Groix, Yann eut un serrement dans la poitrine. Chaque rocher, chaque falaise, étaient gravés dans sa mémoire. Le phare de Pen-Men, la pointe du Grognon, la chapelle de Quelhuit. Le sentier côtier avec les buissons remplis de mûres. Ses racines couraient sous cette terre-là et nulle part ailleurs.

Matthieu sentit que son père avait quitté le navire – parti loin dans les hautes sphères – et borda lui-même la grand-voile.

— Tu es nostalgique ?

— Disons que je rentre au bercail, comme on dit. J'étais en train de penser au sens de cette expression.

— Tu te compares à un mouton égaré ? Celui qui revient dans le droit chemin ?

Yann plissa les yeux en direction des falaises, et son visage se fendit d'un sourire.

— Oui, c'est un peu ça.

Étrange comme rien n'avait changé ici. Le hameau de Kerlard et ses habitants s'étaient fossilisés dans la roche. Pour preuve, les moustaches de son frère Charly, la fraise sur le bout du nez du voisin et le petit rire de souris de sa femme. Les tiges poilues des vipérines qui bordaient les maisons, les fleurs séchées des agapanthes le long du fossé. Le café bouilli du bar du village et le tchum pot, sorte de gâteau local dont la dose de beurre et de sucre rivalisait avec celle du kouign amann. Tout y était. La seule originalité au tableau : Josic' dit «Jo», l'ami de son fils qui squattait sa maison. Ici, on l'appelait le convalescent. À l'odeur œnolique de son haleine et aux légères trémulations de ses doigts, en un regard, Yann crut cerner une partie de son histoire.

— Je vais regrouper mes affaires, avait bredouillé Jo, dès leur arrivée.

— Comment ça ? Tu es ici chez toi.

Il avait parcouru des yeux la petite pièce au capharnaüm sans nom. La vaisselle sale qui s'amoncelait dans l'évier, le lit défait, les pots de peinture un peu partout. Jo avait baissé les yeux, gêné, et Yann s'en était amusé :

— Il y a bien de la place pour deux. En poussant les murs… Hein, Matthieu ?

Son fils fixait son ami avec une mimique interrogative depuis plusieurs minutes, comme s'il était inquiet pour lui. D'un geste discret, il avait désigné la bouteille de rhum sur la table, et Jo s'était contenté d'un haussement d'épaules résigné. Matthieu avait alors soulevé une des planches qui traînait au milieu du salon :

— Si on finit la mezzanine, tu pourras dormir en haut… En attendant, il y a le bateau.

Du bricolage, du nettoyage, un colocataire un peu fragile, un peu abîmé par la vie. Yann commençait à se projeter. Sous les tropiques, ce retour lui avait semblé insurmontable, alors que tout était simple, comme si aucune coupure n'avait existé. Il était né à Groix, et l'île semblait s'en souvenir. Sur son passage, les portes s'ouvraient en même temps que les bras. La boulangère (l'amie de sa cousine), la coiffeuse (la nièce de sa belle-sœur) :

— Yann ! Ça fait plaisir ! Tu es revenu pour les vacances ?

— Non, je crois bien que je suis de retour. Vraiment.

— On y revient toujours au pays, non ?

Le restaurateur (le copain de classe), le vieux pêcheur (le père du voisin) :

— Tu l'ouvres quand ?

194

— Ouvrir quoi ?

— Eh bien, ton cabinet !

Cette question se répéta. Finalement, ce n'était pas une question, ça sonnait comme une évidence. Il y avait aussi les « consult' trottoir », comme il les appelait.

La factrice (la copine du cousin) et sa grand-mère, l'épicière qui échappait aux lois de la retraite :

— Tiens, tu ne voudrais pas regarder mon grain de beauté, là ? Je me suis coupé le doigt, tu penses qu'il faut recoudre ? Ma main tremble depuis quelque temps, tu crois que c'est un Parkinson ?

Son métier de médecin lui collait à la peau, comme une empreinte indélébile qui le suivait partout. Après tout, soigner les gens, n'était-ce pas la seule chose qu'il savait faire ?

27

Ce n'est pas une thalasso !

Marie-Lou

✓ *Depuis l'annonce de son départ, Bertrand restait collé à Farah : ils étaient comme les valves d'une coquille. Combien de fois par jour venait-il la chercher dans le service ? Deux. Le midi et le soir. Au cas où elle se perde sur le chemin de l'internat.*

✓ *Nombre de colliers réalisés par Brigitte depuis son hospitalisation : 6. À ce rythme, on allait pouvoir ouvrir une boutique !*

✓ *Nombre de « tout à l'heure » prononcés par Matthieu : 1. Chaque jour ! Ce petit jeu allait durer combien de temps ?*

Aujourd'hui, le bruit de fond dans le téléphone me donne un peu d'espoir. Pas les habituels coups de marteau sur les planches de la mezzanine, ni la voix grave et traînante de Josic, ni celle enrobée de son oncle Charly. Non, son « tout à l'heure » est bercé par les vagues et le cri aigu des goélands, quelque part au large de Groix. Quelque part, mais où ? Sur la route du retour ?

Je ne suis donc pas surprise de le voir débarquer dans le service quelques heures plus tard, la fossette canaille et le pas nonchalant, alourdi par sa salopette de skipper. Il s'approche puis se dédouble. Derrière lui, une autre paire d'yeux gris-bleu sur un visage tanné par le soleil. Le même avec quelques rides en plus et la barbe légèrement grisonnante. Le portrait craché, en chair et en os ! Celui qui me sourit comme s'il me connaissait et dont je n'arrive pas à détacher mon regard. Qui déclare d'un air espiègle en s'arrêtant devant moi :

— Bonjour, Marie-Lou, content de te voir. Je voulais venir plus tôt, mais mon fils ne me trouvait pas très présentable.

— Arrête tes conneries, l'interrompt Matthieu en le poussant pour pouvoir m'embrasser.

Un baiser rapide et appuyé qui m'aspire les lèvres et me fait chavirer. Je pique un fard, voyant son père qui nous détaille avec curiosité.

— Ou alors… c'est Marie-Lou que tu voulais me cacher ? *Il pousse son fils à son tour, comme un ado qui cherche la bagarre.* Tu désirais la garder précieusement, c'est ça ?

Le voilà qui me tombe dans les bras aussi lourdement qu'une prise de judo, et moi qui rougis à nouveau, sous les soupirs consternés de Matthieu. Comment cet homme au look de baroudeur peut-il avoir l'âge d'être son père ? Et encore plus invraisemblable : comment a-t-il pu un jour être le mari de Brigitte ? Est-ce la maladie qui l'a fait vieillir plus vite ou Yann qui contre-carre les effets du temps ?

— Yann Madec ? *Le marabout s'avance, intrigué par ces effusions soudaines.*

— Bonjour, Cédric. Je ne savais pas si vous alliez me reconnaître. Ça fait combien de temps déjà que j'étais interne dans votre service ? Vingt ans ? Vingt-cinq ans ? Je ne me souviens plus si Matthieu était né…

Le grand chef lui donne la date exacte du tac au tac, le félicite de n'avoir pas changé, puis s'attarde sur le fils – le clone. La dernière fois qu'il l'a vu, c'était un nouveau-né qui braillait la nuit et fatiguait son interne, tout jeune papa. Maintenant, il mesure presque deux mètres et se tient près – tout près – de son actuelle interne dont il caresse le bras. Dans le cerveau de Cédric Breton, les idées se télescopent. Il baisse les yeux sur mon ventre, avant de hocher la tête d'un air entendu. Et moi qui me mords la joue pour ne pas sourire.

Les deux aînés continuent à parler du bon vieux temps dans la salle de détente, une tasse de café à la main, quand j'accompagne Matthieu chambre 58. Il semble si nerveux que je prends les devants pour ouvrir la porte.

— Elle va être ravie de te voir.

La vision de Brigitte, assise dans son fauteuil tout confort, les pieds relevés et la télécommande à la main, lui redonne le sourire. La Reine-mère est plongée dans sa série à l'eau de rose de l'après-midi. Celle qui n'autorise aucune visite ni coup de téléphone. Tellement absorbée par la télé qu'elle semble entrée à l'intérieur !

En un seul clic, voilà Brigitte transformée en Johanna. Elle vient de guérir de son Parkinson et marche en tournant des fesses du haut de ses stilettos dans une robe diaboliquement échancrée. Dans cet univers aseptisé, où personne ne se déplace en déambulateur, ni n'a de sonde urinaire. Où le simple fait de croquer dans une miche de pain relève de l'acte érotique.

— Hum… Bonjour.

Johanna se tourne alors vers nous, empreinte d'une tension dramatique «*made in Hollywood*», puis laisse place à Brigitte – la vraie – qui réapparaît l'espace d'un sourire et d'un :

— Ah tiens, tu es là ! dit-elle avant d'être de nouveau captivée par l'écran.

— Sympa, l'accueil ! ronchonne Matthieu.

La tablette installée devant elle ne semble pas assez grande pour contenir ses piles de magazines, ses boîtes de perles et ses paquets de gâteaux. Matthieu s'avance et s'interpose entre les deux Johanna.

— Tu ne t'ennuies pas, à ce que je vois !

— Quoi ? *Elle se penche sur le côté en tentant de contourner son colosse de fils. À croire qu'elle le fait exprès ! Comme si elle voulait lui faire payer de n'être pas venu plus tôt.*

Matthieu ne bouge pas d'un millimètre et décroche un à un les colliers suspendus à la potence au-dessus de son lit. Ses créations du jour.

— Ce sont des commandes, explique-t-elle sans perdre de vue l'écran. Le bleu, c'est pour Marie-Lou. Le rose pour Farah. Le jaune pour Gwen.

— Gwen ?

— Une aide-soignante. Elle est extra... On s'échange des livres et des CD.

— Et quand est-ce que je te ramène à la maison ?

— Oh, pas tout de suite ! Je commence juste à progresser. C'est Cécile qui l'a dit.

— Cécile ?

— La kiné. Tous les après-midi, je descends en salle de gym, je fais un peu de tapis roulant, du vélo. Certains matins, j'ai même le droit à une séance personnalisée avec une psychomotricienne.

— Mais ce n'est pas une thalasso !

— Quoi ?

Johanna, sors de ce corps !

— Je disais : ce n'est pas une thalasso !

— T'es dur... De toute façon, le docteur Breton ne me laissera pas sortir avant d'être sûr que je ne tombe pas de nouveau.

Je me retiens de lui répondre qu'à moins de trouver la recette miracle pour guérir le Parkinson, il risque de la garder des années. Pas la peine de lui saper le moral.

La scène du baiser au clair de lune la fait soupirer de plaisir, et Matthieu, d'agacement.

— Peux-tu éteindre la télé, à la fin ? Il y a quelqu'un pour toi dans le couloir. Il revient de loin, si tu vois ce que je veux dire... Il attend le feu vert pour entrer dans ta chambre.

Cette fois, Brigitte ne lui demande pas de répéter, elle arrondit sa bouche d'un air inquiet puis appuie sur la télécommande.

Et comme dans une porte à tambour, Matthieu sort de la 58 au moment où son père en franchit le seuil. Ils s'observent, le temps d'un hochement de tête résolu et d'un coup d'œil empreint de pudeur et de respect. Comme si une réelle complicité s'était installée entre eux ces derniers jours. Ou peut-être avait-elle toujours existé… Et voilà mon marin en perdition dans le couloir, qui me regarde comme s'il tentait d'attraper une bouée.

— J'ai besoin de prendre l'air.

— Je t'accompagne.

On retrouve Écume dans le parc, accroché au vieux chêne. Il me saute dessus et plaque ses pattes boueuses sur ma blouse blanche. D'une bouille désolée, Matthieu passe son bras sur mes épaules, et on commence à marcher. Pas de tracteur cette fois-ci, juste nos pas, sous la bruine qui nous vaporise.

— Je ne m'y fais pas, de la voir dans une chambre d'hôpital, murmure-t-il, le nez dans sa veste de quart. De la savoir de l'autre côté… Celui de mes patients… Mais je dois me rendre à l'évidence.

Je presse sa main, Écume le pas. Puis je retourne travailler, seule.

Lorsque Yann nous retrouve, Farah et moi, dans la salle des internes, il a perdu sa gaîté enfantine et semble un peu sonné.

— Où est Matthieu ?

— Il m'a demandé de l'appeler quand vous sortiriez de la chambre.

— Tu sais qu'il est interdit de vouvoyer un vieux briscard comme moi ? *Je m'excuse, mal à l'aise, pendant que Farah rigole, la bouche collée à sa sténorette.* Brigitte s'est mis en tête de rester, ajoute-t-il en s'asseyant face à moi. Tu confirmes ?

— Oui, c'est vrai. Je pense qu'elle a pris ses marques dans le service.

— Vous la chouchoutez, à ce que je vois.

— Elle s'améliore de jour en jour, précise Farah. Elle a même réussi à faire quelques pas malgré son plâtre aujourd'hui.

— Et combien de temps allez-vous la garder ?

Matthieu vient de lâcher cette phrase dans l'embrasure de la porte.

— Le temps de lui trouver une place dans un centre de rééducation. Ça peut être long. Quelques semaines.

— Quelques semaines ? Mais c'est une prise d'otage !

Farah glousse derrière son micro.

— Cédric explose les scores de D.M.S. Il détient le record national, mais ses résultats sont excellents.

— C'était déjà comme ça à l'époque, commente Yann.

Je sens Matthieu de plus en plus tendu, qui fait les cent pas dans le bureau.

— Et c'est quoi, son record ?

— Un an !

Le marin blêmit et s'affaisse sur une chaise. Et moi de fusiller du regard ma co-interne devant tant de franchise. Ne pourrait-elle pas apprendre à mentir ?

La porte à tambour de la chambre 58 me revient à l'esprit. Celle qui tourne et qui guérit. Qui fait si peur à Matthieu et que Brigitte franchira bien un jour, sautillante derrière son déambulateur.

28

Sacré piercing !

Marie-Lou

✓ *Nombre de fois où Bertrand s'est retourné sur le quai au cas où le train de Farah déciderait de faire demi-tour : 7. Avant de s'asseoir sur un banc et de perdre son regard dans le vide.*

✓ *Temps passé à le déloger ? Une bonne heure. Seule, je n'y serais jamais arrivée. Matthieu avait été très persuasif. Pas de « Gobe-mouches » à Quimper, mais du whisky japonais, quarante degrés, censé noyer le chagrin et empêcher de réfléchir. Pas très sérieux comme argument, mais efficace.*

— Ça te dérange si je t'accompagne à ta garde, ce soir ? Matthieu passe la soirée avec Bertrand, et ça m'amuse de revoir les urgences. Je pourrais te servir d'assistant, qu'en penses-tu ?

Yann m'était tombé dessus quand je sortais de l'internat. Il avait déjà enfilé une blouse – trop petite, toute chiffonnée – et s'était rasé la barbe pour l'occasion. Comment refuser ? L'excitation et la fougue d'un jeune interne se lisaient dans ses yeux. Ce qu'il n'a pas manqué d'exprimer toute la soirée. Mon apprenti – plus expérimenté que moi – trépignait pour examiner mes patients et suturer les plaies à ma place. J'avais tout juste le temps de lui rappeler qu'à l'hôpital on proposait toujours une anesthésie locale avant de recoudre. Et lui d'aller de son petit commentaire pour détendre le blessé en dégainant son aiguille :

— Ah, qu'ils sont chochottes, ces Bretons !… Oh, comme vous avez la peau dure !… Vous voulez du fil doré ? C'est bientôt Noël !

Au rayon « bobologie », chaque situation était prétexte à rire. Yann avait ramené le soleil et la « cool attitude » de la Réunion dans les boxes des urgences. Il expliquait même sa médecine de brousse au chef de garde qui raffolait de ses histoires.

— Pour ton patient, il y a une méthode imparable si tu veux savoir s'il y a du sang dans ses selles.

— Ah, bon ? Laquelle ?

— Tu y ajoutes quelques gouttes d'eau oxygénée. Si ça mousse, c'est qu'il y a de l'hémoglobine.

Si bien qu'un peu plus tard, quand le collègue en question a appelé le gastro-entérologue de garde pour lui parler de chimie et d'effervescence, il s'est fait rembarrer en bonne et due forme :

— Non mais, à quoi jouez-vous ? Qui vous a appris ça ? Sûrement pas moi.

Et le pire, c'est que le Doc' avait raison. Un gros ulcère perforé saignait en continu à la fibroscopie. Il a paradé dans toutes les urgences avec des « je vous l'avais bien dit » et des « ce n'est pas cher et ça marche à tous les coups », puis ses piles ont commencé à faiblir un peu avant minuit, ses jambes à s'alourdir, ses gestes à ralentir. Il a bâillé bruyamment.

— Bon, je crois que je vais aller me coucher… Je n'ai plus l'âge pour ces conneries.

Avant de tourner les talons.

Et à cette heure de la nuit, mon assistant me manque cruellement. Voilà dix bonnes minutes que je triture le nez de ce jeune pêcheur avec ma pince et que je ne vois pas bien comment retirer cet hameçon sans tout arracher.

— Sacré piercing !

Son brusque mouvement de recul me fait réaliser que j'ai pensé tout haut. Le crochet vient de s'enfoncer encore plus.

— Aïe ! Vous me faites peur avec vos outils barbares, me crie-t-il.

— Excusez-moi… Si vous bougez comme ça, je n'y arriverai pas.

C'est là que la tête de Matthieu apparaît dans l'embrasure de la porte. Je reconnais la blouse étriquée du Doc' qui, sur lui, paraît encore plus petite.

— C'est ici, la salle de torture ? lâche-t-il en me narguant de son plus beau sourire sur lequel mon regard noir n'a aucun effet.

— Tu n'es pas couché ?

— Non, j'ai eu une urgence « cœur brisé ».

— Et tu t'en es sorti ?

— Disons que j'ai limité la casse, les verres aussi, et qu'il a fini par s'endormir.

— Hé ho ! Vous pensez à moi ? gémit le pêcheur.

— Bien sûr, monsieur, intervient Matthieu en me lançant un clin d'œil. Justement, je suis interne d'O.R.L. et ma collègue vient de m'appeler pour que je lui vienne en aide. Voyons voir.

Je lève ma pince pour lui montrer le carnage. Le chirurgien se mord les lèvres.

— Je vois… Un classique. *Quel crâneur ! Il attrape une paire de gants et prend ma place sur le tabouret.* Le principe de l'hameçon, c'est qu'il ne faut pas chercher à le retirer, commente-t-il d'un ton professoral.

— Hein ? s'inquiète l'homme avec le même mouvement de recul.

— Tout est fait pour empêcher le poisson de se détacher une fois ferré… *Et il se tourne vers moi en me faisant signe d'approcher.* Regarde la pointe et les contre-pointes qui s'y détachent… Si tu tires, elles se cramponnent, les bougresses… Donne-moi les ciseaux… Je vais d'abord couper la base et la mouche… puis faire en sorte que l'hameçon continue tranquillement son trajet… Tu as fait une anesthésie ?

— Oui… à la Xylocaïne.

— Très bien, ma petite. *Ma petite ? Pour la peine, je lui écrase le pied. Et voilà qu'il sourit d'un air satisfait et ordonne au gros poisson :* Soufflez bien maintenant, *avant de tirer d'un coup sec.*

— Aiiie !

Je grimace en fermant les yeux jusqu'à ce que j'entende le tintement de l'objet métallique dans la coupelle en fer.

Le tortionnaire m'entraîne dans le couloir :

— Je peux vous parler, ma petite ?

— Arrête tout de suite ton petit jeu, Matthieu Madec ! Comment veux-tu que je sois crédible, maintenant ?

— Oh, j'adore ce petit air offusqué… Ça m'amuse.

— Eh bien, pas moi ! Surtout pas à trois heures du matin !

— Je vais me coucher si tu n'as pas d'autres urgences à me proposer… Ma chambre est tout au bout du couloir à droite… Il y a un petit lit qui grince avec une taie d'oreiller en plastique.

— Comment ça, ta chambre ? C'est celle de l'interne de garde. Ne me dis pas que tu comptes t'installer dans la mienne !

Il tire sur les pans de ma blouse et me plaque contre lui.

— Si, pourquoi ? Tu as quelque chose à y redire, Dr. Alessi ? *Il glisse sa main entre les pressions.* Vois-tu, à cet instant précis, j'ai une furieuse envie de toi.

— Dr. Madec, je ne te connaissais pas aussi direct.

— Crois-tu vraiment me connaître, Dr. Alessi ?

Je tressaille.

— Aaallô ? *Je marmonne dans mon sommeil.* Quoi ? Vous pouvez lui mettre deux litres d'oxygène et lui prélever N.F.S., iono, coag, C.R.P. … J'arrive.

Je plonge ma tête lourde dans l'oreiller moelleux et elle devient légère, légère…

— Marie-Lou ? Marie-Lou ? *La bouche chaude de Matthieu me chatouille les paupières.*

— Hmmm…

— Réveille-toi… On vient de t'appeler et tu es en train de te rendormir.

— Ah, bon ? Je ne me le rappelle pas. Qu'est-ce que j'ai dit ?

Il allume la lampe de chevet et se redresse sur son coude.

— Que tu arrivais… *J'enfile mes vêtements, un peu étourdie. Matthieu m'observe d'un air amusé.* Dur, dur d'émerger d'un sommeil profond post-coïtal, n'est-ce pas ?

— Moque-toi de moi. Je suis à moitié confuse, et c'est la première fois que…

— T'inquiète, moi, ça m'arrive souvent… Les infirmières savent bien qu'il faut me réveiller deux fois.

— Parce que tu mets toujours une fille dans ton lit de garde ?

Il baisse les yeux, comme s'il était peiné par ma remarque. Je lui relève le menton et l'embrasse tendrement. Dans son sourire en demi-teinte, je perçois une émotivité fragile, pleine de délicatesse. Comme les vers d'un haïku. De ces instants où la carapace se fissure sur son vrai visage. Ça me bouleverse.

— Je te laisse, je vais sauver une vie, dis-je, la gorge nouée. Appelle-moi la prochaine fois que tes hormones seront en ébullition.

Mon clin d'œil avant de sortir de la chambre se perd dans l'obscurité. Il vient d'éteindre la lumière.

29

Le chant triste et la bagarre joyeuse

Le temps est brumeux, les nappes de brouillard réduisent le champ de vision à quelques mètres, et la navigation ne peut se faire qu'à l'aide du G.P.S. Marie-Lou ne regrette pas de ne pouvoir admirer le paysage, le spectacle se trouve sur le pont du bateau. Elle sourit en regardant Matthieu et Yann se disputer la barre. Le père vient de gagner, et l'autre ronchonne en réglant les voiles. L'invitée inexpérimentée, à qui personne n'a donné de mission, reste plantée au fond de sa banquette et grelotte sous ses trois pulls et son ciré. Jusqu'à ce qu'elle décide enfin de se lever pour se dégourdir les jambes sous les cris stridents des deux navigateurs :

— Attention à la bôme ! On va empanner !

Alors elle se rassoit puis ne bouge plus et – faute de pouvoir scruter l'horizon – fixe la boussole face à elle pour retarder le mal de mer. Sans remarquer les coups d'œil amusés et attentifs de Matthieu qui prend soin de ne pas trop faire gîter la coque. Et durant tout le trajet, le père et le fils continuent à s'étriper. Tous les sujets y passent. L'itinéraire à prendre, l'allure du bateau par rapport au vent. Ils sont d'accord sur un seul point : le vent tourne sud et rend périlleux le mouillage à Port-Saint-Nicolas Port-Tudy sera donc le point d'arrivée.

À quelques milles de l'île de Groix, la brume se dissipe et Marie-Lou commence tout juste à distinguer la digue surmontée d'un petit phare blanc chapeauté de vert. Plus loin, le même en rouge les surplombe puis c'est le calme absolu. Plus de vagues, plus de vent. Son corps frigorifié se détend tout à coup. Matthieu vient s'asseoir à côté d'elle, l'enveloppe de son bras et déclare à son père :

— Mince, Marie-Lou s'est transformée en glaçon !

Jo et Charly les attendent dans la Méhari jaune. Celle assortie au ciré de la navigatrice avec des points de rouille en plus. Les trois marins s'installent à l'arrière, serrés sous la capote en plastique, avec Écume comme couvre-pieds. Au bout de quelques mètres, la petite voiture, alourdie et cahotante, cale en pleine montée et Matthieu doit la pousser jusqu'au village, en évitant les crachats noirs émanant du pot d'échappement. La nuit n'est pas encore tombée que l'île s'est déjà endormie. Les volets sitôt fermés, les rues sont désertes. Un calme absolu que viennent rompre les éclats de rire gras de l'oncle Charly et le moteur pétaradant de cette caisse à savon.

Quelle joie de retrouver Jo ! Marie-Lou, coincée entre le père et le fils, s'amuse à lui ébouriffer les cheveux et à lui masser les épaules :

— Retourne-toi ! T'es beau… Tu me fais penser à quelqu'un… À un DJ… Hein, Matthieu ?

— Ouais… À David Guetta !

— Arrêtez avec ça, grogne-t-il en rougissant de plaisir.

Devant la maison en pierres aux volets bleus de Kerlard, Marie-Lou ressent un pincement dans la poitrine. De ces lieux qui résonnent et remuent des souvenirs. L'agression, la convalescence à Groix, le refuge qu'incarnait cet endroit. Elle parcourt des yeux le portail vermoulu et branlant, les herbes folles de part et d'autre de l'allée, la porte, si petite qu'il faut la franchir plié en deux. Un charme bohème et poétique auquel Yann et Jo collent si bien. Ne sont-ils pas venus s'y mettre à l'abri, eux aussi ? Trouver leur havre de paix ?

Quand Yann lui présente d'un « ta... da ! » théâtral l'étendue des travaux réalisés ces derniers jours, Marie-Lou s'extasie en cherchant ce qui a changé :

— Impressionnant ! Du beau travail !

Seule nouveauté : une échelle bancale qui se dresse en plein milieu de la pièce, calée sur quelques lattes en bois faisant office de mezzanine. Dans le joyeux désordre de Jo, celui de Yann a trouvé sa place, comme deux couches qui s'intriquent et se superposent. L'un en haut, l'autre en bas, ou l'inverse. À chacun sa bulle, chacun son univers. Matthieu n'aurait jamais imaginé que la cohabitation soit si simple, une telle entente entre les deux :

— Vous formez un beau petit couple, lâche-t-il d'un air moqueur, tout en enfournant quelques bûches dans le poêle.

Et Yann de renchérir sur le même ton, en embrasant une allumette :

— Qui sait ? Peut-être va-t-on finir par se pacser…

Pendant ce temps, le glaçon en ciré jaune continue à grelotter et cherche un moyen de se réchauffer. Se rapprocher de la fourrure d'Écume ? Se frictionner les mains ? Sautiller sur place ? Rien n'y fait. Yann a une autre idée :

— Tu veux une tisane ?

Lorsqu'il sort du placard un sachet de feuilles étoilées – souvenir de la Réunion –, Matthieu le fusille du regard, et son sourire s'efface aussitôt.

— On trouve de ces choses ici, grommelle-t-il d'une moue de petit garçon pris en faute. Voyons voir ce que je peux te proposer… De la verveine, du tilleul ?

— Quelle idée de se remplir l'estomac d'eau chaude avant de manger ! s'offusque Jo.

Lui qui leur a concocté un repas de fête pour l'occasion : de la choucroute et des raviolis sauce tomate !

Marie-Lou s'inquiète devant les deux énormes boîtes de conserve, qu'il tient fièrement dans chaque main :

— Les deux ? T'es sûr ?

— L'entrée et le plat ! Comme en Italie ! Primi piatti, secondi piatti.

Yann valide en décapsulant sa bière :

— Ah, si c'est de la choucroute italienne, c'est autre chose !

Et tout le monde éclate de rire sous les « ben quoi » vexés du cuisinier.

Le Doc' leur raconte qu'il reprendra du service dès

lundi. Un des médecins généralistes du bourg, un vieil ami, en a profité pour prendre quelques semaines de vacances au soleil. Ce qu'il a justifié par un «chacun son tour, mec» en lui laissant les clés de son cabinet. Matthieu lui demande si ce n'était pas un peu précipité mais Yann hausse les épaules :

— En fait, je n'ai jamais vraiment arrêté. Et si tu veux mon avis, il vaut mieux avoir un vrai local que de consulter dans le salon. Hein, Jo ?

— Ah, oui… Merci bien ! L'autre jour, la voisine est venue nous montrer sa plaie d'escarre. Je n'avais même pas fini de manger qu'elle avait déjà mis son pied sur la table et déballé son pansement, j'ai failli vomir ! Pouah !

Le nouvel éclat de rire général motive Yann à enchaîner sur d'autres anecdotes, entrecoupées de petits coups de fourchette et de grandes gorgées de bière. En l'écoutant, Marie-Lou réalise que sous ses airs de soixante-huitard lymphatique se cache un vrai passionné. Lui ressemblera-t-elle un jour ? N'a-t-elle pas déjà l'impression d'avoir son métier dans la peau, elle aussi ? Quand elle marche dans la rue, qu'elle voit un passant boiter, une main trembler, un visage asymétrique, n'a-t-elle pas envie de les examiner, de percer leurs mystères ? Elle sent ses paupières s'alourdir petit à petit et tous ses muscles se détendre. Comme s'ils se consumaient un à un au contact du feu. Sa joue vient se poser sur l'épaule de Matthieu, qui décide qu'il est temps de retourner sur le bateau.

Sur le pas de la porte, Yann la retient, les mains posées sur ses épaules, et la fixe d'un air béat. Est-ce l'alcool qui fait briller ses yeux ? La fatigue ? Marie-

Lou sent ses pommettes rosir. Cela lui semble si long qu'elle baisse le regard dans un raclement de gorge gêné. Si long que Matthieu doit le décoller d'un coup de coude en lui empruntant les clés de la Méhari.

— Désolé pour mon père, bredouille-t-il une fois dehors.

— C'est rien... Je le trouve attachant.

— Têtu, tu veux dire ! Il s'est mis en tête que tu étais encore enceinte.

Marie-Lou arque un sourcil, visiblement étonnée, et met quelques secondes à réagir :

— Mais, tu... tu ne lui as pas expliqué ?

— Si... Mais il ne me prend pas au sérieux. Il pense que je le fais marcher. Comme si c'était mon genre !

Maintenant, elle comprend mieux ses petits coups d'œil et ses sourires en coin. Pourquoi se sent-elle si triste tout à coup ? Triste et vide. Matthieu le perçoit et lui presse la main tout en conduisant. Le courant se diffuse entre leurs doigts, comme une synapse entre deux neurones. Un influx silencieux et primitif qui éveille leurs sens et leur désir. Subitement. La promiscuité avait du bon mais là, ils ressentent le besoin d'être seuls. Juste tous les deux sans chien, sans personne – et ils comptent bien mettre le chauffage au maximum, car leurs vêtements eux aussi vont être de trop.

Au début, Marie-Lou se laisse faire. Son ours est une perle rare. Ses préliminaires, comme les vers d'un haïku, riment avec douceur et délicatesse. A-t-il peur de lui faire mal ? Son corps massif frôle le sien, se

214

cambre, puis se plie. Il s'amuse à varier les cadences, lentes, puis rapides. Oui, c'est ça, il joue. Puis, c'est elle qui mène la danse, inventive et passionnée. Le tango prend une tournure de rock endiablé. Et le mât du bateau oscille dans l'obscurité, comme chahuté par la houle.

Matthieu gît sur le dos, les bras en croix, un peu sonné, des suçons plein le cou et des traces de griffures sur la poitrine. Marie-Lou, à bout de souffle, le dévisage, la tête relevée sur son coude.

— Que fais-tu de moi ? Tu vas finir par avoir ma peau.

Sa fossette lui sourit.

— Pourquoi ai-je toujours l'impression que c'est la dernière fois ? Que je ne vais plus jamais te revoir ? *Il l'interroge du regard.* Pourquoi n'être pas venu me voir dès ton retour en métropole ? Tout simplement. Pourquoi cette crise de jalousie avec Eduardo ? Puis ce silence ?

Il soupire longuement et tourne le dos à Mme Pourquoi pour enfiler son tee-shirt. Que peut-il répondre à ça ? Faut-il qu'il se jette une nouvelle fois sur elle pour la faire taire ? Il réfléchit un instant.

— Tu sais ce qu'on dit des Brestois ?

— Non.

— Qu'ils ont le chant triste et la bagarre joyeuse.

Elle plisse les yeux en cherchant le sens de ces mots, puis esquisse un sourire. Cette phrase lui va si bien.

— Et si un jour, j'arrivais à te faire changer de disque ? *Elle l'attire d'un coup sec en le déshabillant à nouveau.*

— Impossible.

— C'est ce qu'on va voir ! Alors comme ça, tu aimes la bagarre ?

Là, ce n'est pas le souffle qui lui manque mais tout son corps qui lui échappe. Des courbatures partout, comme après avoir couru un marathon. Matthieu s'est endormi après le troisième orgasme. Dommage. Elle a envie de lui parler. Encore. En cet instant de vulnérabilité extrême, où elle vient de prendre possession de son corps, ne pouvait-elle pas tout lui demander ?

— Matthieu ? *Ses yeux s'entrouvrent puis se referment aussitôt en un grognement.* Matthieu ? *L'ours émet un râle.* Matthieu ? Je me demandais… Si la grossesse ne s'était pas interrompue, quelle aurait été ta réaction ?

Ses yeux clignotent dans un froncement de sourcils :

— C'est une manie chez toi, les questions pièges après l'amour ? Si j'ai la bonne réponse, j'ai droit à un autre câlin, sinon tu me vires du lit ? C'est ça ?

Elle se mord les lèvres.

— Oui. Et fais attention, si tu ne veux pas finir à l'eau !

— J'avais préparé ma réponse, figure-toi ! Plusieurs nuits blanches à cogiter à la belle étoile.

— C'est une blague ?

— Non.

C'est là qu'il fait mine de se rendormir pour la faire mariner.

— Hé ! Je t'écoute.

— Voilà ce que je t'aurais dit… Que ne pas le garder simplifierait les choses… que je n'avais jamais envisagé d'être père… Que je n'étais pas sûr d'avoir eu le bon exemple, pas certain d'assurer… *Il se relève sur ses coudes en la fixant d'un air taquin.* Mais…

— Mais ?

— Mais que si j'avais un enfant un jour, ce serait avec toi. *Il marque une pause et l'observe déglutir.* Que j'adorais te faire l'amour et qu'il paraît que c'est comme ça qu'on fait les mômes, non ?

— T'es bête.

— Que si tu voulais le garder, parce qu'il était déjà dans ton ventre… Que tu l'aimais déjà… Eh bien, je l'aimerais aussi. Tu pleures ? C'est la mauvaise réponse alors ? *Marie-Lou l'enjambe et le plaque en arrière.* C'est la bonne ?

— Tais-toi !

Et la danse reprend – tendre, intense, sincère – jusqu'à ce que les forces leur manquent et qu'ils s'endorment dans la moiteur des draps.

Le lendemain, à Port-Tudy, le dernier bateau s'apprête à partir. Le souffle tubaire de la sirène vient de retentir dans toute l'île. Sur le quai, Marie-Lou n'a pas envie de partir. Elle a enfoui ses mains sous la veste chaude de Matthieu et posé sa tête dans le creux de son cou. Les derniers voyageurs passent devant eux en faisant rouler leurs valises. Le mousse donne son ultime avertissement lorsqu'elle se décolle enfin.

— Tu reviens quand à Quimper ?

Elle glisse sa main le long de ses doigts jusqu'à ce qu'ils se séparent.

Et lui, dans un demi-sourire :

— Tout à l'heure…

30

Le bézoard de Cédric Breton

Marie-Lou

✓ *Combien de nouvelles feuilles à mon ficus ? 3.*
  Encore toutes pliées, mais soyeuses et d'un vert
  anis luxuriant. Victoire !
✓ *Combien d'appels de Matthieu ces dernières*
  quarante-huit heures ? 0. De Yann ? 5. Cherchez
  l'erreur.

Le Doc' compose mon numéro au beau milieu d'une
conversation, comme si l'envie de m'appeler le prenait
subitement. À chaque fois, j'entends un « excuse-moi »
ou un « attends une seconde » qui ne m'est pas destiné.
Pas besoin de regarder le nom qui s'affiche, je sais que
c'est lui. De sa voix grave et veloutée, il mène son interrogatoire sous forme de visite médicale. « Chambre 58 ?
Brigitte, ça va ? Pas de chutes à signaler ? Des trem-
blements ? » Est-ce de la pudeur ou du détachement ?
Ses questions sont souvent techniques et dénuées

d'affect. Pourquoi ne pas le demander directement à son ex-femme ? Son intérêt, aussi soudain soit-il, lui ferait sûrement plaisir. Les autres chambres ? Il ne les connaît pas mais, à la place, il m'énumère ses cas de neurologie groisillons, suivis de : « Tu aurais fait pareil, toi ? » Comme si mon avis d'interne de deuxième année avait de l'importance ! Je saupoudre mes réponses de « peut-être » et de « sans doute » timides et précautionneux et, dans le long silence qui suit, il me refait le coup de l'accolade prolongée. La même, sans le face-à-face et le sourire béat, avant de finir sur un ton paternaliste : « Pas trop fatiguée ? Pas trop de gardes ? N'en fais pas trop tout de même. » Je l'entends déglutir entre chaque phrase et je n'ai aucun mal à l'imaginer dans son cabinet, les chaussures sur le bureau, avec une tasse à la main.

À l'internat, Bertrand passe le plus clair de son temps, son téléphone à dix centimètres du front en mode « selfie », connecté avec la Syrie. L'application Skype est devenue sa meilleure amie, et il marche avec – en se prenant les murs parfois –, mange avec et joue même au ping-pong avec. J'imagine Farah se comporter de la même façon de l'autre côté de la Méditerranée. Lorsqu'elle me salue derrière l'épaule de Bertrand, je perçois en arrière-plan le fameux papier peint à fleurs de l'appartement de sa mère ou un petit bout de ciel bleu à travers la baie vitrée du salon. Quelque chose dans sa voix traduit une certaine inquiétude, mais elle se présente toujours souriante et volubile à l'écran. Une astuce de combattante, sans doute. Si bien qu'on a du mal à réaliser qu'elle se trouve réellement dans ce pays en guerre. Celui qu'on voit à la télévision avec ces images de chaos. Combien de kilomètres entre Lattaquié et Alep ? Cent quatre-vingts, moins qu'entre Quimper et Rennes. J'évite d'y penser. Bertrand parle fort, et tout le monde assiste à la conversation le plus discrètement possible. En fait, c'est nous qui chuchotons. Quand il abaisse son portable, c'est comme s'il fermait les volets, l'obscurité s'empare de son visage, et tout son corps s'éteint.

Et c'est la même chose dans le service, l'absence de Farah se fait cruellement sentir. Je dois m'approprier les dossiers de ses patients, et mes visites n'en finissent pas. Surtout avec Cédric Breton sur le dos ! La plus rude épreuve, n'est-ce pas de me retrouver en binôme avec lui ? Un marabout doublement stressé, doublement collant, aux rations doubles de papier mâché ! Qui tourne autour de moi en répétant la même question :

— Tu as des nouvelles de Farah ? Tu as des nouvelles de Farah ?

Comme s'il oubliait la réponse. Qu'il ne me fasse pas croire – lui, l'hypermnésique – qu'il a des troubles de mémoire ! À l'évocation de Skype, il lève les yeux au ciel dans un «hou là» de vieux dinosaure complètement dépassé et préfère la bonne vieille méthode du téléphone arabe. Du genre :

— Tu pourrais demander à Bertrand de lui demander… Si son trajet en taxi s'est bien passé ? Si sa famille se porte bien ? Si sa mère n'est pas trop affectée par le conflit ? Si elle compte décaler son vol de retour ?

Et moi de répondre :

— Bertrand m'a dit que Farah lui avait dit... que si tout allait bien, elle serait de retour pour Noël.

Et lui de reprendre son chariot – mon chariot – comme un automate, de le pousser de quelques mètres jusqu'à la chambre suivante en fredonnant des « *Well, well, well* » satisfaits, mais de courte durée.

Pourquoi ce matin est-il plus courbé que d'habitude ? Un marabout avec les pattes vacillantes et des perles de sueur sur le front. Lorsqu'il me laisse traverser le couloir, sans un mot, sans un regard, je reviens sur mes pas, intriguée :

— Un problème, chef ?

— De digestion, ça va passer, marmonne-t-il sans desserrer les dents.

Et une demi-heure plus tard, ça n'est pas passé. Pas du tout. Je le retrouve à la même place, plié en deux, avec un teint grisâtre et une bouche grimaçante. Si bien que je le force à s'allonger sur un brancard pour le conduire aux urgences.

— *Too much... It's too much !* ronchonne-t-il en se laissant néanmoins faire.

Compliqué à diriger comme engin ! À chaque virage, il vient cogner le mur sous les hurlements de Cédric.

— Oh, désolée, j'ai des petits problèmes de direction.

Après un chemin plus sinueux que prévu, on finit

par arriver aux urgences. Alexandre, l'interne de garde, me fait signe d'approcher :

— Marie-Lou, mais qu'est-ce que tu fais ? Aïe !

Voilà que, sur ma lancée, je lui écrase le pied. Le mouton stoppe le brancard et scrute Cédric d'un air grave. À ce moment, je ne peux m'empêcher de penser qu'il fait beaucoup plus sérieux dans son pyjama blanc que dans son déguisement. Quel soulagement de l'observer prendre en main la situation ! Moi qui n'étais pas très enthousiaste à l'idée de déshabiller mon chef pour lui palper le ventre.

— Un arrêt des matières et des gaz, une défense abdominale, déclare-t-il au fil de l'examen.

— Une occlusion ? l'interrompt Cédric.

— Oui, sans doute. Vous avez déjà eu l'appendicite ?

— *No, no, no*, gémit l'Anglo-Saxon.

Sans perdre de temps, Alexandre le brancarde jusqu'au scanner et le marabout disparaît au bout du couloir, les pieds en V et les mains crispées sur son bas-ventre.

Ce soir-là, je fais l'impasse sur le cours de zumba et guette le retour d'Alexandre. Toute une histoire, cette occlusion ! Pourquoi ai-je une petite idée de ce qui a pu la causer ? Combien de feuilles de papier a-t-il ingurgitées depuis le départ de Farah ? Et de boules de coton ? Et de gants en plastique ? Aïe. Dans les intestins, ces derniers peuvent s'ouvrir comme des parachutes et bloquer tout le reste. Je repense à mon patient de psychiatrie, cet été. Celui qui passait son temps à avaler des fourchettes. Il avait ingurgité une chaîne de vélo, en entier. Il en était mort, d'ailleurs. Je frémis.

— Allez, Marie-Lou ! crie Marie sur l'estrade, moulée dans son survêtement fluo. Viens ! T'es pas drôle.

Juste au moment où Alexandre pose sa blouse sur le portemanteau, les cheveux en bataille et la mine fatiguée.

— Allez, Alexandre ! Rejoins-nous, tente Marie sans y croire.

C'est là qu'il fait tourner son stéthoscope au-dessus de sa tête d'un air désolé qui signifie : « Ce n'est que partie remise mais ce soir, je suis de garde. »

Je lui saute dessus avant qu'il atteigne le frigidaire :

— Comment va-t-il ?

— Hé ! Le secret médical, tu connais ? se défend-il, le sourire aux lèvres.

— Au départ, c'est mon patient, je te signale.

— Et à l'arrivée, c'est le mien.

Il s'amuse à me faire languir et reste muet en préparant son plateau-repas. La musique est assourdissante, et il n'a pas d'autre choix que de se réfugier dans le salon. Je m'assois devant lui, sans un mot, avec des yeux de labrador. Combien de temps faut-il que je tienne avant qu'il craque ? Je me concentre pour imiter Écume le mieux possible, quand le gentil mouton finit par céder :

— C'est quoi, cette tête ?

— Euh… Rien, pourquoi ?

— Aux dernières nouvelles, il vient de sortir du bloc et il va bien.

Je lui souris, reconnaissante.

— Tant mieux.

— Dis donc, il a des drôles de manies, ton chef. Un vrai bordel, ses intestins… Je te ressors la phrase du chirurgien à la fin de l'intervention : «Incroyable ! Un bézoard pareil, ça se voit chez l'animal mais chez l'homme… C'est impensable.»

— Un bézoard ?

— C'est le terme. Particulièrement fréquent chez les ruminants. *Je pouffe de rire.* Tu n'as jamais lu Harry Potter ?

— Si.

— Rappelle-toi, Severus Rogue en parle comme d'une pierre qu'on trouverait dans l'estomac des chèvres et qui constituerait un antidote à la plupart des poisons. Et Harry s'en sert même pour sauver Ron, son meilleur ami…

Je ne m'en souviens absolument pas mais opine du chef pour lui faire plaisir. J'aime bien Alexandre. Il est si atypique. C'est bien le seul interne capable de citer du J.K. Rowling au beau milieu d'une garde. Le seul à sortir sa guitare en plein tonus pour accompagner Lady Gaga. Le seul à vouloir tondre un déguisement de mouton !

Je repense à son histoire de magie :

— Et le bézoard de Cédric Breton, vous l'avez gardé ? On ne sait jamais, s'il peut sauver des vies…

Ma remarque le fait sourire, et voilà qu'il reprend du poil de la bête et bondit du canapé :

— Tu as raison. J'y vais de ce pas !

Il court à la cuisine, en ressort un balai entre les jambes et traverse la grande salle en faisant semblant de voler. Marie s'immobilise sur l'estrade, bouche bée, en le suivant des yeux. Sacré Alexandre.

31

Un œuf peut en cacher un autre

Marie-Lou

✓ *Nombre d'émoticônes d'Eduardo depuis le mochi au piment : 1. À l'instant. Un clin d'œil ;-) qui remplace la petite tape amicale du « salut, ça va ? », et qui m'assure qu'il l'a bien digéré.*

✓ *Nombre de jours de soleil consécutifs : 5. Combien de degrés de plus qu'à l'est de la France ? 10. Vive la Bretagne en hiver !*

— Je peux entrer ? avais-je interrogé Cédric avant de passer la tête à travers la porte.

Et s'il n'avait pas envie de me voir ? La règle du « on frappe, on entre » comme dans un moulin m'avait toujours mise mal à l'aise. Le marabout avait beau être aussi pâle que ses draps, avoir une mine toute chiffonnée, le sourire radieux qui fendait son visage m'avait incitée à avancer.

— Tenez, Cédric, c'est pour vous.

Je m'étais empressée de lui tendre mon cadeau : une feuille de sucre format A4 réalisée spécialement pour lui avec l'inscription : «À grignoter sans risques !» Puis j'avais eu un doute. Était-ce trop osé ? Allait-il se vexer ?

— Ha ha ha ! Aïe ! *Il s'était mis à rire, puis à grimacer, une main sur le diaphragme.* Je vois que tu as le sens de l'humour ! Dommage que je doive encore rester à jeun… Pas de nouvelles de Farah ?

Sa question favorite. Pour une fois, j'étais contente de l'entendre. Ne signifiait-elle pas qu'il était guéri ?

— Eh bien si, je viens de l'avoir en ligne. Regardez vous-même, avais-je répondu en lui tendant mon portable.

Sur cette vidéo postée sur Skype, Farah s'adressait directement à lui. Comme si elle était assise sur son lit. D'où son mouvement de recul surpris avant de comprendre qu'il s'agissait d'un enregistrement. Ses joues s'étaient empourprées aux doux mots de ma co-interne, chaleureux, préoccupés et bienveillants.

— À bientôt, avait-il bredouillé, ému, avant de durcir son regard et de passer aux choses sérieuses. Hum, Marie-Lou, pourrais-tu vérifier les prescriptions de M. Suarez ? Je me demande si j'ai bien renouvelé ses anticoagulants. Ou alors… *Il avait pointé du doigt le couloir.* Regarde un peu s'il n'y a pas d'ordinateur qui traîne, que je vérifie par moi-même.

— Hors de question ! l'avais-je interrompu. Reposez-vous, je m'en charge.

Et comme s'il ne m'avait pas entendue, il était revenu à la charge :

— Et Mme Penhoet ? A-t-elle eu son écho des carotides ?

— Oui, le côté droit était presque occlus, je l'ai transférée en urgence en chirurgie vasculaire pour qu'elle se fasse opérer.

— Quoi ? Mais pourquoi ne pas me l'avoir dit ?

— Je n'ai pas bien fait, peut-être ?

Il m'avait détaillée de ses yeux ronds de petit garçon.

— Si, si…

— Eh bien, alors ? Vous voyez !… RE-PO-SEZ-vous !

Ce soir-là, Marie m'avait regardée bizarrement pendant toute notre partie de badminton. Elle marquait une pause entre chaque point et inclinait sa tête dans ma direction, d'un air pensif et soucieux. Ses coups s'en ressentaient, plus hésitants, moins appuyés. Elle qui, d'habitude, jouait la gagne ! Ma partenaire avait interrompu son geste de service en laissant tomber le volant par terre.

— Marie-Lou, ôte-moi d'un doute… Tes règles ont bien repris ?

— Tu te moques de moi ou quoi ? avais-je éclaté. Tu veux me déstabiliser en plein match, c'est ça ?

— Non, non, pas du tout… C'est juste que… j'avais oublié de te le demander.

Et elle était sérieuse en plus !

— Oui, là… t'es contente ? J'ai mes règles ! On peut reprendre la partie ou tu veux que j'informe notre coach ?

Pourquoi cette grimace sceptique et ce sourire gêné ? Tout comme ses reprises de volée molles et sans conviction ? Et pourquoi fixer mes seins comme si c'étaient des OVNIS ? D'accord, ils débordaient de mon décolleté et profitaient de chacun de mes rebonds pour sortir se balader. D'accord, j'avais pris du poids… On n'allait pas en faire un drame. La curieuse avait de nouveau baissé sa raquette et s'était avancée, le nez collé au filet.

À ce rythme-là, on n'allait jamais terminer notre partie !

— Quoi encore ?

— Et t'as repris la pilule ? *Elle avait mordu ses lèvres, comme si c'était plus fort qu'elle.*

— Marie, mais… arrête avec ton interrogatoire ! Ça t'arrive de couper avec le boulot ? Qu'est-ce que tu crois ? J'ai fait comme tu m'as dit. Et ne cherche pas plus loin… je suis gonflée aux hormones !

Après ça, elle s'était tue et m'avait laissée gagner. À n'y rien comprendre.

Le lendemain midi, manger en face de moi semblait même lui couper l'appétit :

— Passe me voir en gynéco, après ta C.V., avait-elle bredouillé, le nez dans son assiette, sans oser me regarder. J'aimerais vérifier quelque chose.

Et voilà que je me retrouve en culotte avec une sonde d'échographie qui me chatouille le bas-ventre. Marie se tait derrière l'écran et prend la couleur de sa blouse.

— Ah…

Encore ce « ah ». Celui qui ouvre la bouche en abaissant les lèvres. Je ne l'aime pas, celui-là.

— Tu m'inquiètes… Y a un problème ?

228

— Un problème ? Non, médicalement parlant, ce n'est pas un problème, annonce-t-elle en retournant l'écran d'un air désolé.

Un cri étouffé sort de ma bouche. C'est quoi, cette blague ? Le haricot s'est transformé en grosse crevette ! Et sur l'écran, elle paraît énorme. Comment peut-elle bouger autant sans que je sente rien ? C'est incroyable. Et ses petites mains qui gigotent près de sa tête. Parlons-en de sa tête ! Est-ce normal qu'elle soit si gigantesque ? Devant mon air effaré, Marie ne peut s'empêcher de rire. Un rire nerveux qui s'excuse avant de reprendre de plus belle. Une vague de chaleur me traverse le corps, mes mains fourmillent et deviennent moites. Je me sens partir, quand Marie me redresse avec sa manette et commence à me secouer comme si elle voulait me faire danser la zumba. Peut-elle arrêter avec ses petites claques sur mes joues ? Si elle croit qu'elle va leur redonner des couleurs !

On reste un moment à se regarder. Ses grands yeux ronds et pétillants dans les miens, un peu perdus. Que dire, que penser ? J'ai besoin d'être éclairée. Elle acquiesce lentement comme si elle m'avait entendue :

— D'après la longueur du fémur, le fœtus aurait deux mois.

— Mais... comment est-ce possible ? Tu m'as parlé d'œuf clair. Il n'y avait plus d'activité cardiaque.

— Et tu n'as pas eu de relation entre-temps ?

— Deux mois, Marie ! Réfléchis... Tu m'as fait l'écho il y a un peu plus d'un mois !

— Je sais... je sais.

— Bah justement, si tu sais... Dis-moi comment le cœur s'est remis à battre !

— En fait, il y a plusieurs hypothèses, m'annonce-t-elle avec une grimace. J'ai réfléchi... La première, c'est que l'écho ait été faite trop tôt... Trop tôt pour voir un quelconque battement, ça arrive.

— Ça arrive aux autres, tu veux dire ?

Elle hausse les sourcils et poursuit sur sa lancée :

— La deuxième, celle que je ressasse depuis hier soir, c'est qu'il y en avait deux.

— Deux ?

— Deux œufs... Imagine que je me sois focalisée sur le premier sans regarder ailleurs... parce que j'étais troublée... Comme quoi, il vaut mieux ne jamais s'occuper des personnes qu'on connaît... Je ne cherche pas à me trouver des circonstances atténuantes... Je suis tellement désolée, Marie-Lou.

Ses histoires d'œufs me brouillent l'esprit et commencent à me fatiguer. Deux ? Et pourquoi pas trois tant qu'elle y est ? Je suis sonnée. Que répondre à ça ?

— Et... il va bien au moins ?

À ces mots, Marie fait le tour du propriétaire en agitant sa sonde d'un air appliqué, comme si elle peignait mon ventre. Qu'est-elle en train de dessiner ? Des inscriptions de Femen ? Du genre : « Un enfant, si je veux, quand je veux » ? Quand elle me décrit son petit crâne déjà bien formé, son petit cœur – celui qui s'est joué de moi –, une larme vient rouler sur ma joue. Une certitude secouée d'un frisson. Cet enfant, je le veux. En fait, je l'ai toujours voulu.

Je marche en direction de l'internat, une pensée nouvelle à l'esprit. Le ciel rose et cotonneux du soir m'enveloppe d'une mélancolie songeuse. Étrange sensation de n'être plus une mais deux. Étrange et surréaliste. L'avenir se dessine autrement depuis quelques minutes. Quel impact aura cette naissance sur mon existence ? Et sur celle de Matthieu ? Nous n'avons jamais vécu ensemble, jamais rien projeté, et nous voilà liés pour la vie. Liés par la vie. Bizarrement, je ne ressens ni angoisse ni appréhension – les hormones peut-être –, juste de l'excitation et ce sourire béat depuis que j'ai quitté l'hôpital. Celui qui s'efface brusquement à la sonnerie de mon portable : Matthieu. Je me fige. Serait-il télépathe pour m'appeler juste à ce moment ? Voilà qu'il me prend au dépourvu. Comment lui annoncer ?

— S.O.S. neurologue ?

Je me racle la gorge.

— Oui, j'écoute.

— Sais-tu que mes parents ne parlent que de toi ? Marie-Lou par-ci, Marie-Lou par là. Tu fais exprès de les séduire pour me mettre la corde au cou, c'est ça ?

— Tu as tout compris, je lui réponds avec un sourire.

— Dois-je m'inquiéter pour toi ?

— Pour… Pourquoi ?

Marie lui aurait-elle parlé ? Aurait-elle sévi encore une fois ?

— À entendre Brigitte, tu travailles pour deux depuis le départ de Farah. C'est vrai ? Et Yann, il te trouve si fatiguée qu'il est même prêt à reprendre tes prochaines gardes… Ne t'étonne pas si tu le vois débarquer. Il en est tout à fait capable !

— C'est quand il veut, dis-je avec soulagement. Toi aussi, d'ailleurs !

— Pas tout de suite, car là, je suis à Brest… Je remplace dans un cabinet d'O.R.L.

— Combien de temps ?

— Une semaine.

— Et tu as croisé Anna ?

— Plus que ça, j'habite avec les deux tourtereaux… D'ailleurs, Eduardo t'embrasse.

Maintenant, je comprends mieux le clin d'œil reçu un peu plus tôt.

— Dis-lui que moi aussi, je l'embrasse.

— Certainement pas ! *Je pouffe de rire devant sa réaction.* Si tu crois que je ne t'entends pas ! *Il feint d'être scandalisé, je serre les lèvres.* Tu rentres chez toi à Noël ?

Je me retiens de lui répondre que c'est ici chez moi. Quelque part en Bretagne. Dans son périmètre.

— Oui, aux Carroz. Tu veux m'accompagner ?

— Non. Je préfère surfer sur la mer que sur la neige.

Il n'aurait pas pu trouver une meilleure excuse ? Du genre : «Je ne peux pas laisser Brigitte seule le jour de Noël.»

— Mais je passerai te voir un de ces soirs, ajoute-t-il pour se faire pardonner.

— Oui, s'il te plaît.

— Comment ça, s'il te plaît ? *Quelque chose dans l'intonation de sa voix paraît plus hésitant.* Tu… Ça ne va pas ?

Je réfléchis un instant. Le souvenir de la dernière annonce par téléphone est encore vif et douloureux. Celui de la croix bleue, du silence qui avait suivi. Si j'ai appris une chose avec Matthieu, c'est qu'il faut toujours préférer le face-à-face. Les yeux dans les yeux. Être patiente et prendre le temps. Je n'ai pas envie de le braquer, devoir couper court avec une boule dans la poitrine et enchaîner d'inutiles nuits blanches. Que ressasse-t-on à l'hôpital ? Qu'une annonce réfléchie, posée, positive facilite l'acceptation ? Et là, ce n'est pas une maladie dont je souhaiterais lui parler.

— Si… Si, tout va bien, dis-je, la gorge serrée. À tout à l'heure, alors.

— À tout à l'heure, répète-t-il d'une voix lointaine.

Je me remets à marcher, lentement, la main posée sur mon bas-ventre. Et de nouveau, ce sourire refait surface. Un sourire confiant. Et je me murmure à moi-même : « On t'attend. »

32

Qui ne se plante pas
ne pousse jamais

Marie-Lou

✓ *Nombre de fois où j'ai rejoué l'annonce, à voix haute, seule dans mon lit : 35. Où j'ai trouvé ça nul : 35. Trop théâtrale, pas assez directe. À force d'arrondir les angles, ce n'était plus naturel. Et même mon ficus – l'unique spectateur – a semblé de cet avis.*

✓ *Combien de tentatives de poèmes ou de haïkus avortées ? 11. Combien de pages griffonnées ? Des dizaines et des dizaines !*

✓ *Combien d'ongles rongés ? Les 10 ! Cédric, sortez de ce corps !*

Deux jours plus tard, le marabout est déjà revenu dans le service. Pas courbé sur ses grandes pattes cette fois, mais assis dans un fauteuil roulant. Il a traversé le couloir jusqu'à moi, à toute vitesse, non pas en poussant ses roues avec les mains mais en donnant des coups de pieds nerveux sur le sol.

— Plutôt que d'être confiné dans un lit à l'étage du dessus, autant que je serve à quelque chose, avait-il déclaré avec un sourire espiègle. J'ai trouvé ce fauteuil qui traînait dans le couloir. Parfait pour ne pas tirer sur ma cicatrice, n'est-ce pas ?

— Ils sont au courant au moins ? Ou vous avez fugué ?

— Plus ou moins, a-t-il grommelé. Disons que ma petite escapade pour acheter mon journal prendra toute la matinée.

— Cédric ! Vous êtes incorrigible.

— Pousse-moi plutôt que de rouspéter !

Et pourquoi pas vous porter tant que vous y êtes ?

Durant la visite, il n'a pas manqué de faire rire les grand-mères en retroussant son pantalon pour leur montrer que lui aussi portait des bas de contention, de répéter trois fois sa question fétiche suivie de « *well, well, well* », de s'énerver devant les prescriptions faites aux urgences :

— Pourquoi ce patient arrive-t-il avec du sérum salé et des diurétiques ? C'est comme si on voulait l'essuyer sous la douche ! Pfff… N'importe quoi !

À moi de l'imiter derrière sa chaise roulante en soupirant et en dodelinant de la tête pour faire pouffer l'équipe. Une chose est sûre, notre marabout a repris du poil de la bête. Et pas une fois, pas une seule, il n'a déchiré de feuille, ni claqué de gant entre ses dents. Aurait-il été vacciné ?

Je rentre à l'internat en traînant les pieds, les jambes lourdes d'être restée debout toute la journée. Une sensation nouvelle de femme enceinte – encore une ! – qui me donne envie d'imiter Cédric et de porter des bas de contention. Ou alors – autre option – de lui piquer son fauteuil ! Alexandre, sur l'estrade, fait des essais de micro : « Allô… allô… Une… deux… une… deux… » Le mouton ne manque jamais une occasion de se déguiser et arbore un beau costume trois-pièces à queue-de-pie qui lui donne des airs de chef d'orchestre. Le voilà qui lève le pouce dans ma direction et m'invite à m'asseoir sur les chaises alignées devant lui.

Marie, qui a déjà pris place au premier rang, se dévisse le bras en me désignant le siège vacant à côté d'elle. Je m'efforce de sourire quand mon corps réagit autrement et s'affaisse un peu plus. Comme si on venait de me lancer un sac d'une tonne sur les épaules. Cette scène résume bien l'ambiance qui règne à l'internat. Pas une minute de répit. Pas une minute pour soi. Comment leur dire ? Qu'en ce moment je rêve de m'affaler dans le canapé, les pieds en éventail ? Que je lutte pour ne pas me jeter sur le buffet ? Celui censé nous sustenter après la réunion et qui disperse ses effluves de pizzas, gâteaux apéro, fromages en tous genres. Fatiguée et résignée, je rejoins la présidente en attendant le premier coup de baguette du maestro.

Alexandre. Dans notre groupe d'internes, c'est celui qui relève le niveau. L'intello de la bande. Les soirées qu'il organise n'ont rien à voir avec les tonus, ni les cours de zumba. C'est beaucoup plus sérieux. On s'y retrouve pour partager nos expériences hospitalières et lui, il nous donne le fil conducteur. Celui de la première réunion consistait à raconter aux autres un cas où l'on avait brillé – seul ou avec notre chef. Un cas difficile que l'on avait réussi à résoudre. Nos mains s'étaient tout de suite levées pour exposer avec fierté nos plus beaux diagnostics. Et c'est en évoquant ce moment enrichissant chargé d'autosatisfaction qu'Alexandre débute son discours :

— Les histoires des autres restent gravées dans nos esprits avec l'idée qu'un jour peut-être, on y sera confronté. On remercie tout particulièrement Marie-Lou pour son remarquable cas de tétanos, Clara pour sa syphilis tertiaire, Bertrand pour sa maladie de Wegener et enfin, Marie pour son gonocoque !

Devant l'éclat de rire général, cette dernière se lève et rétorque, d'un ton offusqué :

— Mon gonocoque ? T'es gonflé !

Le chef d'orchestre, fier de sa réplique, hausse les épaules d'un air faussement désolé.

— Aujourd'hui, continue-t-il, il n'est plus question de gonfler notre ego mais au contraire, de le laisser de côté. D'être humble, de reconnaître nos failles. J'aimerais qu'on se raconte les cas où l'on s'est retrouvé en difficulté, senti impuissant. Et pourquoi pas ceux où l'on s'est trompé ? N'est-ce pas plus didactique ? D'apprendre des erreurs des autres ? Sans moquerie, sans jugement. C'est pourquoi j'ai intitulé cette réunion : «Qui ne se plante pas ne pousse jamais.» N'est-ce pas une belle image ?

C'est, en tout cas, ce qu'Alexandre veut prouver

ce soir. Il voudrait même en faire sa thèse de médecine et étendre ce genre de réunion au niveau national. Un silence gêné se répand dans la pièce, les têtes s'abaissent. Faut dire, il nous prend un peu au dépourvu. La diva, qu'Alexandre avait dû interrompre lors de la première réunion, reste muette sur sa chaise en caressant son chat. Quelqu'un se dresse à ma droite et monte sur l'estrade. Ma vue se trouble, et les sons s'assourdissent. Un cas vient de s'imposer à moi, et l'angoisse monte, rien qu'à l'idée de l'exposer à tous. En suis-je vraiment capable ? Ce patient de psychiatrie, Jacques K., dont la schizophrénie avait été clairement identifiée depuis des années. Dont les délires érotomaniaques portaient sur des voisines, des passantes… Il les suivait, leur envoyait des messages, les effrayait, mais jamais il ne les agressait. Il était même établi que Jacques K. ne ferait pas de mal à une mouche ! Si bien que quand je l'ai pris en charge à l'hôpital, qu'il m'a prise pour cible, personne ne s'est vraiment méfié. À part moi. Je frissonne en repensant à cet après-midi d'été. Où il m'avait poursuivie dans les rues de Brest. Des rues désertes où il avait fini par me rattraper.

— Marie-Lou ? Ça ne va pas ? T'es toute pâle ! m'interrompt Marie en me secouant l'épaule. Attends, je vais te chercher quelque chose à manger.

N'est-ce pas là un cas d'impuissance ? Où tout le monde s'est trompé ? Même mon chef ? Mais apparemment, ce soir, je ne suis pas prête. Jacques K., où qu'il soit, n'aura pas ce moment de gloire. J'essaie de me ressaisir en engouffrant deux par deux les petits toasts au fromage que m'a apportés Marie et de reprendre le fil. Voilà Bertrand qui monte sur scène, droit comme un piquet, et Alexandre qui doit allonger la perche du micro pour le mettre à sa hauteur. À ses muscles contractés, lui aussi paraît ému et hésitant.

— Moi, c'est l'histoire d'une cacahouète, juste une cacahouète, déclare-t-il d'un ton grave et solennel.

Est-ce l'effet de surprise ? Le décalage entre le thème de sa phrase et l'intonation qu'il lui donne ? Tout le monde se met à rire. Sauf moi. Bizarrement, je pressens la suite. Bertrand se gratte la tête, mal à l'aise, puis enchaîne :

— Je n'avais jamais vu d'enfant mort. C'était la première fois... *Et la salle se tait d'un coup.* L'arrêt respiratoire par inhalation d'un corps étranger. Le cas que tout O.R.L. redoute à chaque garde, je l'ai eu cet été et le retourne dans tous les sens pour trouver un moyen de le sauver, cet Antoine, deux ans. *Ses doigts longilignes se mettent à trembler sur la perche. Les miens sur mes genoux.* J'étais passé devant les parents qui pleuraient à l'entrée des urgences, ils avaient les yeux hagards, de ceux qui ont perdu toute notion de réalité et qui se noient dans le vide en cherchant vainement un point auquel se raccrocher. Je n'avais jamais côtoyé de détresse pareille... Mes yeux ont vu des choses ce soir-là qu'ils ne pourront jamais oublier.

Une boule se forme dans ma poitrine. Bertrand nous parle de ce point de fêlure, de ce moment où l'on sait qu'il n'y a plus rien à faire, que tout est fichu et où pourtant, on continue de se battre.

— L'urgentiste courbé sur le petit corps était en train de le masser. Voilà plusieurs minutes qu'il s'était arrêté de respirer et que son cœur s'était éteint à son tour, asphyxié par une cacahouète. Passez-moi l'endo-scope ! avais-je aboyé à l'infirmière. Un peu trop fort, un peu trop brutalement. Elle l'avait déjà préparé à côté de la table d'examen, mais j'aurais voulu qu'elle me le lance. Qu'il soit déjà dans la bouche de ce petit bonhomme… Comme si les secondes paraissaient des heures, les minutes une éternité. J'avais extirpé l'ara-chide juste au-dessus de la glotte puis avais relayé le collègue qui suait à grosses gouttes, les deux mains pla-quées sur le sternum miniature… On choque, avait-il crié. Et j'avais soulevé mes doigts un court instant… Deux ans. Il avait deux ans. Une main tendue sur la table basse à l'heure de l'apéro. Un visage rouge, puis bleu, puis blanc… On arrête, avait soupiré l'urgentiste à côté de moi dans un murmure. Comme s'il ne voulait pas être entendu. Je n'avais pas arrêté mes mains pour autant. J'en étais juste incapable. Il m'avait attrapé les avant-bras pour les retirer doucement puis m'avait tapé dans le dos. On a tout fait, Bertrand… Il est arrivé trop tard… Trop tard. Ces deux mots résonnent encore dans ma tête. Cet enfant habitait à la campagne à vingt minutes de Quimper. Et ce sont ces minutes incom-pressibles qui l'ont tué. Une cacahouète, c'était juste une cacahouète… Plus jamais j'en mangerai de ma vie !

Les bras de Bertrand retombent le long de son corps dans un silence de mort. Une larme s'échappe avant que je ferme les yeux pour retenir les autres.

33

La petite danse de la pomme d'Adam

Marie-Lou

✓ *Combien de fois Alexandre a-t-il demandé, la*
gorge nouée : « Qui veut passer après Bertrand » ?
3. Et tout le monde a baissé la tête.
✓ *« Bon, on fait une pause ? »*

Bertrand n'a pas touché au buffet, remué d'être
revenu sur cette histoire. D'avoir mis des mots sur ce
qu'il avait éprouvé. Son discours, il ne l'avait pas préparé et c'est sûrement ce qui l'a rendu aussi authen-
tique. Sans doute est-il en train de se demander s'il
a bien fait de vider son sac… Si cela va le libérer un
peu… Si c'est normal de se sentir coupable… Coupable
de quoi ? Qui mieux que ses pairs est capable de comprendre ce qu'il a vécu ? J'ai envie d'aller le rassurer
mais je me retiens, de peur d'accentuer le malaise. Il
reste courbé, les yeux rivés sur son portable. Destina-
tion : Syrie.

— Il est temps que Farah revienne, soupire Marie en regardant dans sa direction.

Et j'acquiesce en silence.

En remontant sur scène, le chef d'orchestre s'éclaircit la gorge plusieurs fois avant de balbutier :

— Bon, merci pour ce témoignage émouvant, poignant même, qui nous fait froid dans le dos. *Bertrand lève les yeux un court instant avant de retourner dans sa bulle.* Et passons maintenant à des situations moins dramatiques… Je ne sais pas, moi, des cas où vous ne vous êtes pas sentis à l'aise, une erreur diagnostique vite rétablie par votre chef. Une situation cocasse… Bref, s'il vous plaît, un peu de légèreté, sinon on va tous sortir nos mouchoirs !

Nouveau silence. Nouveau temps de réflexion.

— Bon, devant l'engouement général, je me lance ! enchaîne Alexandre avec un sourire. J'étais en premier semestre, c'était une de mes premières gardes aux urgences… Je plante le décor, histoire de me donner des circonstances atténuantes… *La salle se détend et commence à rire.* J'étais tout fier de mon diagnostic, ce soir-là. Une infection urinaire chez une jeune fille de seize ans. Simple, rapide, une affaire classée. Elle se plaignait de douleurs dans le bas-ventre. Quelques globules blancs dans les urines, tout collait. Les globules rouges, eux, ont un peu intrigué mon chef. Et quand la patiente lui a fait part de son impression que quelque chose lui poussait entre les jambes à chaque élancement, là il a froncé les sourcils. En palpant l'abdomen un peu rondouillard et en y enfonçant ses

doigts – plus vigoureusement que moi – il a grommelé :
« Je crois sentir une hauteur utérine sous les côtes… »
Là, j'ai frémi. Une hauteur utérine ? Une grossesse ? Je
n'étais quand même pas passé à côté ? Eh bien si. Au
toucher vaginal : non seulement, on sentait le crâne du
bébé – ses cheveux même –, mais il était en train de
sortir. « L'accouchement est imminent ! » s'est exclamé
mon chef, pas très psychologue, devant le regard effaré
de la jeune fille.

Le mien aussi, en écoutant la chute de cette histoire.
L'éclat de rire rocailleux de Marie vient résonner dans
la pièce :

— Ha ha ha… Merci Alexandre, c'est une belle
leçon d'humilité ! Preuve que les dénis de grossesse
peuvent aller jusqu'au terme… Ça me fait penser à
une anecdote… En fait, il m'est arrivé l'inverse. J'ai
annoncé une interruption de grossesse alors que ce
n'était pas le cas.

Je manque de m'étrangler. Elle ne va pas oser ?
Elle ne va quand même pas me faire ça ? Je pince la
cuisse de mon impossible voisine et la fusille du regard.

— T'inquiète, me murmure-t-elle dans l'oreille
d'un ton enjoué. Je ne te citerai pas, je vais brouiller
les pistes.

Et moi, dans un cri étouffé :

— Non ! Ne fais pas…

Trop tard, elle s'approche déjà de la scène :

— C'était il y a plusieurs mois, quand j'étais interne
à la Cavale-Blanche. *Merci pour le clin d'œil dans ma
direction. Si indiscret que je pique un fard.* Pourquoi
ai-je proposé cette échographie pour diagnostiquer la
grossesse ? Je ne me souviens pas bien, d'habitude on

s'en passe si le test est positif… Ah oui, je me rappelle maintenant, se tape-t-elle le front d'un geste théâtral. La patiente se posait la question de le garder ou non. Ça fait partie du bilan avant une I.V.G…

C'est à ce moment que je le vois. Matthieu, dans l'embrasure de la porte, adossé au mur. Il me salue d'un hochement de tête, puis me sourit en plissant les yeux. Je me raidis. *Non, pas maintenant. Va-t'en !* Il arque un sourcil. Lorsque je lui fais signe de monter m'attendre dans ma chambre, il secoue la tête, amusé. *Ah, non ! Il a décidé d'être têtu.* La panique commence à me gagner, et je m'agite sur ma chaise. Et Marie, imperturbable, qui continue son show, sans l'avoir remarqué :

— Je ne voyais pas d'activité cardiaque, le sac embryonnaire était tout petit… Alors j'ai commencé à lui parler d'œuf clair. Et vous savez ce qu'elle m'a répondu ? Qu'elle n'était pas une poule ! Véridique !

Pourquoi chercher à amuser la galerie ? Et ça marche, en plus ! Tout le monde glousse. Tous, sauf nous. Sa dernière phrase vient de capter l'attention de Matthieu. Il s'est tourné vers elle et la scrute, la mine sombre et médusée.

Comment l'arrêter ? Le tout sans se faire remarquer ? Impossible. Mimer un évanouissement ? Un arrêt cardiaque ? Pour finir aux urgences ? Non, merci.

— J'étais sûre de moi, enchaîne-t-elle avec enthousiasme. Sauf que quelques semaines plus tard, elle est revenue… et ses seins avaient doublé de volume.

Je plaque machinalement mes mains contre ma poitrine devant les yeux arrondis de Matthieu qui oscillent entre Marie et moi. Sa fossette a disparu. Je tressaille.

— Quand j'ai posé la sonde, ça n'a fait aucun doute… et on a même eu un mouvement de recul toutes les deux… Un fœtus de deux mois ! Un tout beau qui gigotait dans son bocal.

Voilà qu'on l'applaudit pour sa bourde monumentale, que des gloussements compatissants se font entendre. Je pourrais feindre d'être surprise moi aussi, l'acclamer pour que Matthieu ne fasse pas le rapprochement. Je pourrais réfréner ma furieuse envie de l'étriper et sourire à pleines dents. Mais c'est trop tard. Les yeux orageux de l'ours me fixent intensément. J'y vois de l'incompréhension puis de la peur. Et je me sens submergée, incapable de bouger. Que lui dire ? Qu'il a mal compris ? Que ce n'est pas moi ? Les larmes roulent sur mes joues et brouillent ma vue. J'ai juste le temps d'observer ses épaules s'affaisser dans un long soupir et la petite danse fébrile de sa pomme d'Adam avant qu'il disparaisse dans la nuit.

34

Gonflé comme un soufflé au fromage

Marie-Lou

✓ *Temps passé à me demander ce que j'allais faire de Marie et de ses cordes vocales : toute la nuit. Des bigoudis ? Des porte-clefs ? Des décorations de Noël ?*

✓ *Nouvelles de Matthieu : 0. Nombre de fois où j'ai regardé : 62. Retour à la case départ !*

En ce dimanche soir, la vie reprend son cours. Marie chantonne en disposant les assiettes sur la table basse du salon. «*Gente de zona ! Puerto Rico me lo regaló…*» Je m'arrête dans l'entrée et l'observe s'activer. La tornade blanche prépare déjà la prochaine chorégraphie de zumba et se trémousse au rythme latino. Comment rester fâchée contre elle ? Contre ce concentré de bonne humeur à l'état brut ? Cette question, je me la suis posée tout le week-end.

— Allez, tous avec moi ! crie-t-elle à l'armoire

devant elle, comme si elle était acclamée par une foule en délire, puis repart en zigzaguant du postérieur.

Je secoue la tête, amusée. Pourquoi ce petit bout de femme se trouve-t-elle constamment entre Matthieu et moi ? À jouer les intermédiaires sans que personne le lui demande ? Une sorte d'informatrice maladroite et volubile qui met toujours les pieds dans le plat ? Qui est-elle vraiment ? Finalement, je ne connais rien de sa vie. À force de se mêler de celle des autres, la sienne passe au second plan. Comme si elle voulait nous la cacher.

— Mais qui êtes-vous vraiment, madame la présidente ?

Je viens de parler tout haut sans m'en rendre compte, et voilà qu'elle sursaute puis me détaille, d'un air surpris.

— À quoi bon mettre des couverts ? dis-je d'un air faussement détaché. Les pizzas, ça se mange avec les doigts !

— Oh, Marie-Lou ! *Elle me tombe dans les bras.* Je n'ai pas arrêté de te laisser des messages… Ne fais plus jamais ça, j'étais morte d'inquiétude !

Je ne l'avais pas revue depuis la fameuse réunion. J'étais partie en courant dans la nuit à la recherche de Matthieu. Comme d'habitude, il s'était volatilisé sans laisser de traces. Plus de bateau au ponton, pas de poils de chien à pister, pas de haïku sur le chemin. Zéro indice. J'avais conduit sans réfléchir jusqu'à Brest. Jusqu'à la rue du Bois-d'Amour où Anna et Eduardo m'avaient accueillie sans poser de questions. Lorsque j'avais décliné le verre de «Gobe-mouches» qu'on me tendait au comptoir et commandé une tisane à la place, la tenancière avait ouvert de grands yeux effarés. Une tisane ? Comme s'il s'agissait d'un gros mot ou d'une substance illégale. Et Anna, elle, m'avait détaillée d'une mine suspicieuse. De celle qui avait tout compris.

Marie se laisse tomber sur le canapé et m'invite à la rejoindre.

— Je suis désolée pour l'autre soir, je n'avais pas vu Matthieu... Je ne me serais pas levée sinon.

— Je sais.

Ma réponse laconique semble la mettre mal à l'aise. Elle se remet à fredonner pour combler le silence et me lance quelques coups d'œil sur le côté. Après plusieurs minutes, elle vient poser doucement sa main sur mon ventre.

— On devine un petit quelque chose, non ? demande-t-elle, hésitante, comme si elle craignait ma réaction. *Je lui souris.*

— C'est bizarre, le lendemain de l'échographie, mon ventre avait gonflé... D'un coup ! Comme un soufflé au fromage. Tu le crois ?

— T'as de ces comparaisons ! Ha ha ha ! On voit que tu as grandi dans une épicerie.

Je rectifie :

— Une boucherie-charcuterie...

— Presque pareil ! me coupe-t-elle en gloussant. Le coup du soufflé, c'est décrit dans le déni de grossesse.

— Déni ? Excuse-moi, mais le terme n'est pas approprié !

— Oui, bon d'accord... Mais le mécanisme est

248

similaire. Tu étais sûre de ne pas être enceinte : alors ton cerveau, comme un maître d'œuvre, a fait en sorte d'empêcher ton utérus de basculer vers l'avant. Et il a même gommé tous les signes de grossesse que tu pouvais percevoir. Plus de nausées, plus de seins lourds… Ça t'en bouche un coin, la neurologue ? *Si j'étais elle, je ne la ramènerais pas trop…* Et bam ! Dès l'instant où tu l'as su, cette inhibition a disparu.

Je répète, moqueuse :

— Et bam !

— Tu m'en veux ? *Elle grimace.*

— Disons que j'aurais juste aimé apprendre moi-même la nouvelle à Matthieu, calmement… Peut-être aurait-il réagi autrement. Je passe mon temps à le perdre… C'est fatigant.

— Il n'est pas si loin, tu sais, bredouille-t-elle d'une voix mal assurée. *Je l'interroge du regard.* Il est venu me voir samedi soir.

— Ah oui ? Moi, je n'ai pas eu cette chance.

— Il m'a appelée à minuit depuis l'interphone de l'entrée. Juste un : « C'est Matthieu, je t'attends en bas », d'une voix sèche. J'ai d'abord cru à une blague jusqu'à ce que j'entende Écume aboyer puis des cailloux projetés sur ma fenêtre. Je suis descendue en pyjama, trop endormie pour être méfiante. « Tiens, voilà la poule aux œufs clairs… Celle qui ne voit pas clair », a-t-il lâché d'un ton amer. J'ai protesté, de plus en plus réveillée, et il a continué à m'attaquer avec son sourire moqueur. Celui qui me hérisse les poils et me fait sortir de mes gonds. Sa conclusion était sans appel : j'étais nulle, et il fallait que je change de métier. J'ai commencé à m'énerver. Ce que je lui ai balancé, je ne me rappelle plus trop… Mais plus je criais, plus il s'amusait à chuchoter et à se jouer de moi. Son chien aussi, pour couronner le tout, qui me léchait les doigts et posait ses grosses pattes sur mes cuisses. Et son maître qui répétait pour me faire enrager : « De toute façon, tu es bien plus douée comme prof de zumba que comme gynécologue… Je t'assure… Et les femmes s'en porteront beaucoup mieux… Elles te remercieront même. » Tu te rends compte ? *J'acquiesce d'un air faussement offusqué.* Il m'a tellement cherchée, j'étais si en colère que je lui ai sauté dessus en lui déchirant son tee-shirt. *Je grimace.* Il m'a traitée de Femen en rut en m'immobilisant. Je lui ai envoyé mon poing dans la gueule. Enfin, j'ai essayé. Il m'a esquivée et m'a hissée sur son dos, la tête en bas, comme un vulgaire sac de pommes de terre ! J'avais beau me débattre et taper des poings, je ne faisais pas le poids.

Je plisse les yeux en imaginant la scène. Ai-je vraiment envie d'entendre la suite ? À sa manière de raconter – son autodérision, sa colère amusée –, l'issue n'a pas dû être si dramatique.

— Il m'a promenée dans le parc jusqu'à ce que je me calme et que le sang me monte aux tempes. Heureusement qu'à minuit, un samedi soir, il n'y avait pas un chat. La honte ! Il a fini par me lâcher, ce fou. Et devine où ! Dans la benne à ordures !

Là, je ne me contiens plus. Me voilà prise d'un rire nerveux, à la fois amusée et consternée.

— Ah, tu rigoles ? Impossible de ressortir… Seule ma tête dépassait… Je l'ai supplié de me tirer de là.

C'est là qu'il est devenu sérieux et qu'on a commencé à discuter.

— C'est vrai ?

— Ton mec est dingue. Encore plus dingue que moi.

— Non !

— Il m'a demandé comment tu avais réagi. Je lui ai dit que je n'avais pas de nouvelles de toi, que j'étais inquiète. Il m'a dit que tu étais à Brest avec Anna. Mais là n'était pas sa question. Il voulait savoir ta réaction en voyant le bébé.

— Il a parlé de bébé ? *Marie prend une moue incertaine.* Rappelle-toi, c'est important pour moi.

— Bah oui, je me souviens maintenant, il l'a dit plusieurs fois. Comment va le bébé ? C'est grave de prendre la pilule pendant la grossesse ? De boire de l'alcool ? De faire des gardes ?

— Et… tu as répondu à toutes ses questions dans la poubelle ?

— Tu crois que j'avais vraiment le choix ? Ce cinglé était capable de tout, même de me laisser dormir là !

Sur ce point, elle a tout à fait raison !

— Et ça s'est fini comment alors ?

— Eh bien, il est allé nous chercher deux bières puis s'est assis sur le trottoir face à moi… Je l'ai rassuré, lui ai dit que le bébé se portait bien, qu'il n'avait pas à s'en faire. Je me suis même excusée… Incroyable ! Je le trouvais touchant de sincérité… En fait, si ce mec est dingue… il est dingue de toi… *Je ferme les yeux à cette remarque.* Et c'est à ce moment qu'il m'a tendu la main pour m'aider à sortir. Qu'il m'a laissée plantée là dans mon pyjama à fleurs qui sentait la rose.

Nos regards se croisent. Elle hausse les sourcils. Je souris à cette dernière image. Elle aussi, d'un air désolé. Je suis sûre qu'elle pense que je ne suis pas au bout de mes peines avec cet ours-là. Je soupire légèrement.

— Bon, on se les mange, ces pizzas ?

35

Rester debout

Marie-Lou

✓ *Messages de Matthieu : 0. Nombre de fois où j'ai regardé : 35. Courbe de progression habituelle.*
✓ *Combien de nouveaux bourgeons à mon ficus ? 10. Qui éclosent de partout comme un feu d'artifice. Un présage ?*

À l'approche des fêtes, Brigitte semblait plus triste. Même si elle ne le disait pas ouvertement, elle ne se voyait pas les passer à l'hôpital, ni rentrer seule chez elle. Une impasse qui la renvoyait à sa maladie, à son handicap, à cette conviction fataliste que cela ne s'améliorerait pas. Depuis quelques jours, je m'en rendais bien compte : notre patiente de la chambre 58 n'avait plus goût à rien. Ses perles demeuraient au fond de son tiroir, son déambulateur plié dans un coin. Même la télévision restait éteinte.

— Grand chef ? C'est quoi, le remède miracle dans ces cas-là ?

— Une famille soudée, m'a-t-il répondu, tout désolé.

Je n'ai pas commenté. Loin de moi l'idée de juger Matthieu. Lui qui avait tant fait pour sa mère à un âge où rien que le fait de s'assumer soi-même peut paraître difficile. Depuis son retour de la Réunion, Yann a pris beaucoup de place et la Reine-mère s'est sentie détrônée. Impression sans doute amplifiée depuis son hospitalisation durant laquelle les visites de son fils se faisaient de plus en plus rares. Voir Brigitte revêtir le statut de patiente était insupportable pour Matthieu. Et penser qu'un jour je puisse l'examiner, intolérable ! Pourtant, depuis le départ de Farah, je me suis approprié la chambre 58 et chaque matin, cette petite escale prenait la forme d'une visite de courtoisie. Avec Brigitte, pas de : « Pouvez-vous soulever votre chemise que je vous ausculte ? », mais plutôt du : « Vous avez bien dormi ? Je compte sur vous pour marcher un peu aujourd'hui ! »

Ce matin-là, j'ai longuement fixé le sachet de caramels de l'île de Groix qui trônait sur sa table de nuit. N'était-ce pas la preuve que le fugitif était passé par là ce week-end ? Un pincement m'a traversé la poitrine, et je me suis demandé pourquoi Brigitte, d'un naturel si gourmand, n'y avait pas touché. Comment lui redonner le sourire et l'appétit qui l'accompagne ? J'ai refermé sa porte avec l'intime conviction d'oublier quelque chose, et cette idée m'est venue comme une évidence : pourquoi ne pas l'emmener avec moi en Haute-Savoie ? Une semaine cocooning dans le chalet familial ? Après tout, il est grand, fonctionnel et mes parents seraient ravis de l'accueillir. Certes, elle ne pourra pas sortir toute seule, avec la neige qui venait de tomber ces derniers jours, mais le grand air sur la terrasse lui fera du bien. Et quel meilleur remède que la charcuterie d'oncle Jean pour lui redonner l'envie de manger ?

— Pourquoi ne pas y avoir pensé plus tôt ?

Je parlais tout haut en poussant le chariot, comme si le marabout avait déteint sur moi. Je me sentais liée à Brigitte. Et encore plus depuis que cet asticot grandissait dans mon ventre. L'image du clan Belkhacem m'est revenue à l'esprit : les arrière-petits-enfants sur les genoux, ce va-et-vient tendre et affectueux qui entourait le patriarche et qui cimentait la famille. N'était-ce pas ce qui manquait à Brigitte ? Une descendance joyeuse ?

Je suis revenue sur mes pas :

— Dites-moi, Brigitte, je me posais une question… Vous avez un bonnet et des bottes fourrées ?

Elle a relevé la tête, d'un air surpris.

— Oui, chez moi… Pourquoi ?

— Parce qu'à mille mètres d'altitude, au mois de décembre, vous allez en avoir besoin.

La convalescente ne s'est pas fait prier pour être du voyage. Elle, qui craignait de sortir de sa chambre, n'a pas paru effrayée à l'idée de traverser la France, de gravir les montagnes, ni même de marcher dans la neige. Sa seule question :

— Et est-ce qu'on voit le mont Blanc de chez toi ?

J'ai un peu menti et réfléchi déjà à la manière de l'emmener à Flaine en haut du téléphérique. Par temps dégagé, la vue sur la chaîne de montagnes où culmine le plus haut sommet d'Europe est grandiose. Brigitte m'a tendu le sachet de caramels, et un sourire a éclairé son visage amaigri :

— Une petite douceur avant de continuer ta visite ?

Terminus. Sur le quai de la gare Montparnasse, Brigitte se cramponne à moi. Pas moyen de la convaincre de s'asseoir dans le fauteuil «pour personnes à mobilité réduite» SNCF, elle préfère marcher avec son plâtre, en me pinçant le bras, comme si elle était prise de vertiges et que le vide la menaçait.

— Courage ! On vient de franchir la première étape… Vous avez fait le plus dur !

Et dans ma tête, je pense : changement de gare, autre TGV, taxi… On n'est pas au bout de nos peines ! J'avance au ralenti, coincée entre Brigitte et les bagages, lorsque je repère Farah parmi les silhouettes des voyageurs. Elle m'avait prévenue un peu plus tôt sur Skype qu'elle serait de retour à Paris aujourd'hui et qu'elle essaierait de nous croiser juste avant de monter dans son train. La voilà qui court vers nous en tirant sa petite valise à roulettes d'une main et en agitant l'autre au-dessus de sa tête. Son sourire illumine le quai, et Brigitte trouve l'énergie d'accélérer le pas pour aller à sa rencontre.

— Brigitte ! Vous avez l'air en pleine forme ! *Farah l'embrasse chaleureusement en prenant soin de ne pas trop la bousculer avant de se tourner vers moi, rayonnante* : Alors ? Toi aussi, tu t'apprêtes à retrouver les tiens ?

— Oui, et comme tu vois, j'emmène une convalescente dans mes bagages ! C'était la seule manière de convaincre Cédric de la laisser sortir.

— Ha ha ha ! J'imagine… Comment va-t-il ?

— Très bien ! Tu vas voir, il a changé ses habitudes. Le papier est maintenant banni du service, on fait tout par informatique ! On a même troqué les boules de coton contre les compresses alcoolisées.

Farah éclate de rire.

— Je sens que je vais bien m'amuser ! Bon, je dois déjà vous laisser, mon train part dans quelques minutes.

— J'en connais un qui serait désespéré que tu le rates. *Elle arrondit les yeux pour confirmer.* Au fait, c'était comment, la Syrie ?

— Intense, émouvant, essentiel ! À refaire… Je te raconterai… Tiens, des gâteaux ! Ma mère les a préparés pour toi, précise-t-elle en me tendant une boîte en carton avec des inscriptions en lettres arabes sur le dessus. Tu retrouveras les odeurs dont je t'ai parlé.

— La fleur d'oranger ?

— Entre autres ! Passe de bonnes fêtes avec ta famille, Marie-Lou. Profite ! Au revoir, Brigitte. Prenez soin de vous ! ajoute-t-elle en nous envoyant un baiser.

On la regarde disparaître en slalomant entre les gens, légère et décidée. Gracieuse et obstinée. Comme toujours.

Je suis sur le point de la laisser sur un banc face à la grande tour sombre, le temps de trouver un taxi, quand Brigitte me fait signe de m'asseoir en tapotant du bout des doigts la place libre à côté d'elle.

— Prenons le temps de lever la tête, Marie-Lou. J'aime bien cet endroit.

Comment lui dire ? On avance déjà au rythme d'un escargot, si on commence à s'arrêter pour regarder le paysage, on va finir par rater notre correspondance !

— Juste une minute alors, dis-je à contrecœur, en me collant à elle pour ne pas geler sur place.

Le ciel plombé est tombé sur Paris et recouvre le haut de la tour. Sous ce brouillard givrant, les gens se pressent, courbés, cachés dans leur écharpe. Tous, sauf nous. Brigitte reste immobile, le nez en l'air et le sourire aux lèvres comme si elle voulait respirer le bon air de la capitale.

— Quand comptes-tu me le dire ?

— Quoi ?

Elle n'a pas bougé, et je me demande si cette question m'était adressée. Voilà qu'elle la répète, plus distinctement, en posant sa main tremblante sur mon ventre. Qu'un frisson me parcourt et me tétanise, sans que je sache quoi dire.

— Ça se voit tant que ça ?

— J'ai un sixième sens, confie-t-elle en se tournant vers moi, les yeux pétillants.

— Je… je voulais que Matthieu soit là pour l'annoncer.

Son visage se ferme d'un seul coup, et d'une mimique déterminée et impatiente, elle me lance :

— Alors, cette discussion n'a jamais eu lieu… On y va ?

— Brigitte ?

Nous voici dans le deuxième train. Le dernier. Celui qui nous conduit vers le sud. Vers la vallée de l'Arve, le long des versants enneigés. Mes montagnes, mes racines, comme dirait Farah. Ma voisine a parcouru tout le quai sans faiblir, on s'y est mis à plusieurs pour la monter dans le wagon. Elle vient d'étaler sur sa tablette ses planches de sudoku niveau « expert », ses deux clémentines qui vont bientôt parfumer tout le wagon et son paquet de mouchoirs. Elle est rayonnante. Et si je la prenais en photo pour immortaliser ce moment ? N'est-ce pas là une façon habile de prévenir Matthieu ? Sans lui donner l'impression de l'avoir kidnappée ? Je lui envoie le portrait de la Reine-mère sur son trône, bien calée entre ses accoudoirs, avec en légende :

> Dans le train, je suis.
> Ma très chère voisine,
> Ici, m'a suivie.

Mon haïku du moment.

Brigitte est maintenant absorbée par sa grille de chiffres, la tête tellement courbée que son menton touche presque sa poitrine. Je n'ose pas l'interrompre, mais cette question me turlupine depuis tout à l'heure :

— Brigitte ? *Elle se tourne vers moi, les lunettes sur le bout de son nez.* Vous en pensez quoi, vous ? *Face à sa moue d'incompréhension, je dois préciser :* De ce bébé ?

Elle entrouvre la bouche, un éclair traverse son regard :

— De ce bébé ? répète-t-elle plus fort, au cas où tout le wagon n'aurait pas entendu. *J'acquiesce, d'un air gêné.* Qu'il va me donner une raison de me battre contre cette fichue maladie ! *À mon haussement de*

259

sourcils, elle ajoute : Pour lui, je me dois de continuer à marcher. Non ?

— Si…

Une image m'apparaît. Et à son expression rêveuse, nul doute qu'elle a la même à l'esprit. Sa silhouette courbée, main dans la main avec une plus petite, dandinant et vacillant.

— Rester debout, déclare-t-elle comme si elle se l'ordonnait. C'est d'ailleurs ce que j'ai dit au docteur Breton.

— Ah, bon ? Vous lui en avez parlé ?

— Du fait que je serai bientôt grand-mère ? Oui, il n'a pas eu l'air étonné ! *Je me décompose.* Et il a même plaisanté à ce sujet. Si ce bébé avait des effets thérapeutiques, il allait réfléchir à l'engager dans le service ! Ha ha ha ! C'est drôle, non ?

À ces mots, elle reprend son magazine comme si de rien n'était. Moi, je reste bouche bée à la fixer en tentant de mettre de l'ordre dans mes idées. Alors comme ça, tout le monde est au courant ? Je pose ma nuque contre l'appuitête. Au moins, c'est fait.

Si je récapitule : dans la famille Madec, la mère vient de me donner sa bénédiction. Le père ? La sienne est tacite depuis qu'il a posé les yeux sur moi. Adoptée en un hochement de tête ! Et le fils ? Cette question se fond dans le roulement du train. Rrr… Rrr… Qu'en est-il du fils ? Rrr… Rrr… Qu'en est-il du fils ? Rrr… Rrr… Qu'en est-il du fils ? Avant que je ferme les yeux et que je m'endorme sous ces douces vibrations.

36

Derrière l'étal

L'enseigne de la charcuterie brille sous les flocons de neige et éclaire le visage du Doc' qui sommeille contre la vitre. Il a conduit la première partie de la nuit – celle où d'habitude, il reste éveillé. À Bourges, Matthieu l'a remplacé, plus déterminé que jamais à continuer la route. Les heures ont défilé jusqu'au petit matin, silencieuses et monotones, rythmées par les ronflements de Jo, allongé sur la banquette arrière. Finalement, Matthieu avait besoin de ce temps-là, seul face à lui-même. À réfléchir, à revenir sur les paroles de son père – encore et encore – comme les bornes kilométriques qui se succédaient sur le bas-côté. Et plus il avançait, plus il avait conscience d'avoir pris la bonne décision.

Il était revenu à Groix après ce fameux week-end, la mine sombre et songeuse, plus fermé qu'à l'accoutumée. Au début, Yann avait feint de ne rien remarquer mais au bout d'une semaine, cela commençait sérieusement à l'intriguer. Le bateau restait amarré au ponton, Matthieu à l'intérieur, assis sur la banquette, avec Écume à ses pieds. Son fils végétait, comme englué dans cette étrange fixité, le regard habité. Par quoi ? Yann avait bien une vague idée, mais de là à le rendre aussi malheureux, il ne comprenait pas. Lui qui avait tout pour être heureux ! Était-ce une histoire de génération ? À son époque, on ne se posait pas tant de questions. On était plus zen. Pourquoi tout compliquer ? Yann avait d'abord gardé pour lui ses considérations de vieux sage épicurien, puis il était arrivé à cette conclusion : s'il n'allait pas parler à son fils, qui d'autre le ferait ? Après tout, n'était-ce pas à son tour de le raisonner ? En rentrant du travail, un soir, ils étaient descendus à Port-Tudy avec Jo et Yann avait crevé l'abcès :

— Dis-moi, tu comptes te cacher combien de temps ?

Matthieu avait baissé les yeux et Jo s'était raclé la gorge, mal à l'aise, avant de se faire tout petit dans un coin.

— Je n'ai pas de conseils à te donner, comme tu le sais. On ne peut pas dire que j'aie été un bon exemple… *Yann s'était gratté la tête. Dans quel chemin s'aventurait-il ? Que disait-on à un fils quand on était un père responsable ? Un père aidant, enveloppant, stable – bref, tout le contraire de lui.* Je ne sais pas ce qui te met dans cet état, mais ce n'est sûrement pas cloîtré dans la coque d'un voilier que tu vas avancer… Allez, lève l'ancre ! *Pas mal comme métaphore ! Il s'était tourné vers Jo d'un air satisfait.* Fais-toi confiance, tu entends ? Et surtout, autorise-toi à vivre ! Pleinement ! Sans boulet au pied.

— C'est toi le boulet, c'est ça ? avait souri Matthieu.

— Oui, faut croire ! avait-il acquiescé, content de son effet. Mais plus maintenant, non ?

— C'est vrai.

— J'ai comme l'impression que tu t'es trompé de direction.

— Et laquelle je dois prendre, d'après toi ?

Yann avait marqué une pause pour réfléchir, avant de sourire à son tour :

— Toujours celle où on t'attend… C'est toi qui m'as appris ça.

Matthieu avait levé les yeux au ciel d'un air excédé.

— C'est moi ? T'es sûr ?

Un long silence avait suivi, et Yann avait cru qu'il n'était pas parvenu à le convaincre. Il allait partir, quand il avait perçu une lueur nouvelle au fond de ses pupilles. Comme une première étincelle. Une lueur qui l'avait poussé à poser une dernière question à son fils d'une voix hésitante :

— Et… elle est où ?

Matthieu avait continué à fixer le mur, sans desserrer les dents :

— Qui ?

— Tu le sais très bien. Marie-Lou !

— Dans les Alpes, chez ses parents.

— On y va ?

Écume avait relevé le museau, prêt à bondir et Jo avait eu la même réaction.

— Là, maintenant ? avait demandé Matthieu dans un mouvement de recul.

— Et pourquoi pas ?

L'arrêt du moteur ne les a pas réveillés. Matthieu jette un œil amusé dans le rétroviseur où Jo dort comme un bienheureux avec Écume comme oreiller. Me voilà au bout du chemin, pense-t-il en regardant les alentours. À l'aube, les montagnes ne sont pas encore animées, les remontées mécaniques dorment encore et les sommets enneigés revêtent d'étranges reflets bleutés. Les Carroz d'Arraches. Un décor de Père Noël où les chalets sont coiffés de blanc, où les gens vont chercher leur pain, engoncés dans des salopettes de ski, en paraissant heureux et détendus. Est-ce vraiment chez elle ? Matthieu sourit. Et le sien de décor ? Son île bretonne avec ses petites maisons blanches aux volets bleus et ses plages de sable fin. Ce n'est pas si mal non plus.

Il reste les mains crispées sur le volant à observer le clignotement de l'enseigne. Faute de connaître l'adresse de son chalet, celle du commerce familial est toute trouvée. Boucherie-charcuterie Alessi. En plein centre du village. Que va-t-il bien pouvoir lui dire ? Par où commencer ? Qu'il a le chant triste et la bagarre joyeuse ? Ça a marché une fois, mais là ? En descendant de la voiture, le froid lui serre la poitrine et lui coupe la respiration. Il aurait dû emporter avec lui sa veste de quart bien chaude mais dans la précipitation, le voilà en pantalon de toile, tee-shirt et tongs dans la neige. Tant pis. Sans prêter attention aux regards intrigués des passants, il s'approche de la vitrine en fronçant les sourcils. C'est bien ce qu'il avait cru percevoir de l'autre côté de la rue. Elle est là, entre les quiches au beaufort et les fougasses au jambon. Matthieu esquisse un sourire. La neurologue-charcutière – nouvelle fonction peu répandue, unique même – essaie tant bien que mal de décrocher un des saucissons qui pend au plafond. Son postérieur encadré par les pans de son tablier se donne en spectacle pour le plus grand plaisir du petit homme à casquette en train de passer commande.

La porte tinte, et des effluves de pâté et de lard imprègnent ses narines. Il reconnaît sa mère, derrière la caisse, qui écarquille les yeux dans sa direction, puis hoche la tête, d'un air approbateur et reconnaissant. Si la mère-louve m'ouvre le chemin, pense-t-il, alors il faut foncer !

C'est à ce moment que Marie-Lou se retourne en tenant fièrement ladite saucisse sèche du bout des doigts.

— Celle-là ?

— Non, plutôt celle fumée, à côté, pointe l'homme, comme s'il voulait faire durer le plaisir.

Mais les yeux verts de la belle charcutière ont trouvé une autre cible, et son sourire se fige.

— Matt…

Voilà qu'elle manque une marche sous les cris suraigus de sa mère. Qu'elle saute sur le sol, aussi légère qu'une danseuse de ballet en jetant sa commande en l'air. C'est Matthieu qui la rattrape à la volée avec une tête de vainqueur, digne d'un joueur de base-ball, et qui la tend à son destinataire d'un geste qui n'autorise aucun refus. Du genre : «Contente-toi de celle-là, sinon va la chercher toi-même ! »

— Et alors, Marie-Lou ! s'étonne le boucher derrière l'étal. Tu jettes des saucissons aux clients, maintenant ?

Elle se mord les lèvres pour ne pas rire.

Serait-ce son oncle ? Cet homme coiffé d'un bonnet en laine en train d'aiguiser son long couteau ? Celui qui détaille le touriste d'un air empreint de curiosité tout en servant la dame en combinaison de ski devant lui ? Il empoigne une grosse dinde et étire son long cou flasque.

— Voilà qui fera l'affaire pour le réveillon. Vous voulez garder la tête ?

— Oh non, surtout pas, glousse-t-elle.

— Ah… Je vous fais une Marie-Antoinette alors ?

Petit coup d'œil de Marie-Lou vers Matthieu qui pétille de malice et qui sous-entend : « Bienvenue chez moi. Voilà mon univers. » Lui déglutit en faisant danser sa pomme d'Adam. Elle est si belle et désirable derrière son tablier taché de sang, avec ses cheveux en pagaille et son petit bout de nez rougi par le froid qu'il n'arrive pas à la quitter des yeux.

— Oui ? l'interpelle le guillotineur, le sourire aux lèvres.

— Non, laisse, c'est pour moi, marmonne Marie-Lou. Hum… Tu veux quelque chose ?

C'est tout lui, il n'a rien préparé. Elle plonge ses yeux dans les siens comme si elle cherchait une réponse. La skieuse se retourne, amusée. Tonton « bonnet » le fixe, suspendu à ses lèvres et Maman « caisse enregistreuse » entrouvre la bouche. Matthieu a comme l'impression d'être espionné. Que vient-elle de lui demander ? Est-ce qu'il veut quelque chose ? Il se redresse en inspirant profondément.

— Euh… Pour moi, ça sera… toi. Tout entière avec le cou, la tête… Une Marie-Lou, quoi !

Éclat de rire général. La couleur de son nez vient de déteindre sur ses joues. Sur les siennes aussi. Il n'y a qu'elle pour lui faire cet effet-là. Lui faire oublier l'espace d'un instant les mille bornes qu'il vient de parcourir.

Le tonton – en bon allié – lui prend son tablier et la pousse dehors. Merci, Tonton !

— Je ne sais pas si je dois être flattée d'avoir été comparée à une dinde, lui souffle-t-elle une fois dehors, en dessinant de petites volutes de fumée dans l'air froid.

Il l'embrasse longuement, tendrement, goulûment. Elle sent bon la cochonnaille et le beaufort. Et dans un murmure :

— J'ai pourtant envie de te manger.

37

La ronde du télésiège

Marie-Lou grimace en haut de la piste. Matthieu vient de faire une faute de carre, et de croiser ses skis dans un nuage de neige. Vouloir s'engager dans ce champ de bosses verglacé n'était sans doute pas une bonne idée. Jo, lui, a préféré faire demi-tour et admirer le spectacle, au soleil, du fond de son transat.

— Ce n'est pas en restant sur les pistes vertes que je vais apprendre à skier, a râlé l'intrépide en se lançant dans la pente.

Bien qu'elle admire sa persévérance et ses prises de risques, la Savoyarde ne se lasse pas de le voir si gauche et si pataud. Comme si les rôles s'inversaient pour son plus grand plaisir. Par un petit jeu de godille en tournant du postérieur, elle arrive enfin à sa portée. Son dérapage bien appuyé est d'une telle précision qu'une petite giclée de poudreuse arrose le visage du skieur transformé en bonhomme de neige. Et le voilà qui peste encore plus – contre elle, contre lui-même, contre la terre entière. Comment se dépêtrer de ce grand écart improbable ? Sa chaussure droite a disparu dans la neige. La gauche ? Il la repère deux mètres plus loin, à angle droit. Et la frimeuse qui pouffe de rire en lui tendant son bâton pour l'aider à se relever. Celui qu'il agrippe du bout des doigts en tirant d'un coup sec. Marie-Lou se retrouve sur un ski, puis vacille, au ralenti.

— T'es fou ! hurle-t-elle en se retrouvant allongée sur lui. Je suis enceinte, je te rappelle.

Matthieu l'enlace et l'entraîne avec lui. Ils commencent à glisser doucement dans la pente, comme deux tortues sur le dos.

— Un peu de luge, ça ne lui fera pas de mal, non ?

— Ce n'est pas la meilleure façon de descendre, ironise-t-elle.

— C'est la plus sûre en ce qui me concerne ! Et ça t'apprendra à te moquer de moi.

— Moi ?

Jo s'apprête à commander son troisième verre de vin chaud et pense sérieusement à redescendre en œuf, quand Marie-Lou réussit à le convaincre de les accompagner pour une dernière piste.

— Tu verras, la vue sur la vallée est magnifique depuis le télésiège des Gentianes et avec un peu de chance, on pourra même voir des chamois !

Pas la peine de lui expliquer que ce deux places au look vintage est un peu lent, tremblotant, non débrayable. Un télésiège parkinsonien. Et qu'au moment du départ, il les propulsera dans les airs après un bon coup de fouet dans les mollets. Pas la peine de l'effrayer.

Dans la queue, Matthieu se débrouille habilement pour faire passer Jo devant lui en lui glissant à l'oreille :

— Ça serait sympa que tu t'étales à l'arrivée…

Jo se retourne, la bouche ouverte, pas sûr d'avoir bien entendu.

— Quoi ?

— J'essaie juste de trouver une façon de rester plus longtemps en tête à tête avec Marie-Lou.

— Tu veux que je fasse exprès de tomber pour qu'ils arrêtent le télésiège ? s'indigne-t-il. T'es gonflé ! *Puis avec un sourire* : Non, en fait, t'es un génie !

— Je sais, répond Matthieu d'un air satisfait.

Le grésillement de la remontée mécanique résonne dans leurs oreilles. Les spatules des skis de Marie-Lou viennent lécher les branches des sapins enneigés. Elle pose son casque sur ses genoux et enlève son masque. Il la regarde du coin de l'œil se tartiner les lèvres de Labello et se rapproche d'elle en glissant son bras derrière ses épaules. Quand elle tourne la tête, elle semble surprise de le voir si près. Ses yeux rivés sur elle qui la fixent d'un air malicieux.

— C'est drôle… On dirait que t'es née sur des skis.

— Ce n'est pas loin de la vérité.

— Mais que fais-tu donc en Bretagne ?

— Je me demande ce qui m'y retient.

Ses yeux se plissent.

— Je me demande aussi…

Le télésiège s'arrête à quelques mètres de la cabine d'arrivée. Jo, allongé par terre, agite ses skis en l'air comme un gamin en plein accès de colère. Il ne semble pas vouloir bouger d'un centimètre et pousse des cris rauques en appelant à l'aide. Marie-Lou et Matthieu éclatent de rire dans sa direction. Si ce piètre comédien pouvait éviter de surjouer, ça serait plus crédible, se désespère Matthieu. Pourvu qu'il réussisse à les maintenir à l'arrêt encore un peu ! Il a tant de choses à lui dire. Mais par où commencer ? Sa voisine se tient les côtes sans cesser de rigoler. Comment enchaîner après ça ? Comment passer aux choses sérieuses ? Il se lance :

— Dis-moi… Pourquoi as-tu amené Brigitte avec toi ?

Le sourire de Marie-Lou se fige en forme de point d'interrogation. Étrange question. Étrange moment pour la poser. Que préfère-t-il ? Une réponse courte ou une longue ? Une qui va le surprendre ? Le faire paniquer ? Va-t-il se jeter de la nacelle pour lui échapper ? Elle se penche en avant pour estimer la hauteur. Trois, quatre mètres. Un champ de poudreuse cotonneuse et moelleuse. Le pire, c'est qu'il en est capable. Cette pensée la fait sourire.

— Je te l'ai dit. Je veux un clan.

— Un clan ?

— Oui, comme la famille marocaine dont je t'ai parlé.

Matthieu fronce les sourcils en faisant mine de ne pas comprendre. Elle n'est pas dupe.

— Si tu préfères, imagine qu'on est tous dans le même bateau.

— Tous ?

— Nous… Notre famille.

Voilà qu'il fait un bond en reculant sur le dossier comme s'il venait de recevoir un coup et qu'ils se mettent à onduler d'avant en arrière à l'instar d'une balancelle suspendue dans les airs. Matthieu fixe les montagnes, sans rien dire. Pas besoin de paroles, Marie-Lou sait ce qu'il pense. Elle a fait exprès de le provoquer. N'est-ce pas la seule manière d'avancer ? Elle enchaîne, de plus en plus confiante :

— Oui, un bateau. Cette image te parle, non ? Tu veux savoir pourquoi j'ai proposé à Brigitte de rentrer avec moi ? C'est simple… Dans mon navire, personne n'a le droit de tomber à la baille. Ni de signer les papiers d'un notaire sur son lit d'hôpital. Ni de rester seul pour les fêtes. Je te l'ai dit. Je veux un clan… Pourquoi tu me regardes comme ça ?

Matthieu la dévisage, à la fois effrayé et amusé. Il se dit qu'il ne la changera pas. C'est en elle. Cette volonté de tout envelopper. Une mère-louve. Qui se dit mi-bretonne, mi-savoyarde, et qui se veut marocaine. De quoi s'y perdre. Qui soigne les humains à longueur de journée. Les chiens et les plantes aussi. Qui prend ses parents en otage et les envoûte littéralement. Il comprend pourquoi il a eu peur au début.

— T'es dingue…

— Dingue de toi, le coupe-t-elle sans retenue.

Et il baisse la tête en se mordant les lèvres de plaisir.

— Et tu fais comment, sur le bateau, s'il y a un loup de mer caractériel qui panique à chaque avis de tempête ?

— Je lui pique la barre et l'enferme dans la cabine.

— C'est bien ce que je pensais… C'est toi qui mènes la barque.

— Disons que je redresse le cap.

Il lui relève le menton en lui chatouillant le cou. Elle plonge ses yeux pétillants dans les siens. Il voudrait goûter son Labello du bout des lèvres.

— Et c'est quoi, ton cap ?

— Là où le vent nous porte... Et qu'importe, puisqu'on est tous ensemble.

Un sourire attendri se dessine sur ses muqueuses crémeuses, qui lui ouvre la voie. Matthieu se penche lentement et lui embrasse les paupières, une à une, en y laissant son empreinte chaude et humide, puis descend en laissant glisser son nez le long de ses joues rougies par le froid. Marie-Lou frissonne et suspend sa respiration. Le reste n'a plus d'importance. Ni le casque qui glisse sur ses genoux, ni les gants de son ours qui tombent dans la neige, ni la vibration du télésiège qui se remet en marche. Matthieu lèche ses lèvres et sa langue tout entière d'un désir ardent et animal. Leurs skis s'entremêlent et se cognent sans qu'ils perçoivent le petit sursaut lié au contact du sol à l'arrière de leurs spatules, une fois passée la ligne d'arrivée, ni les messages d'alerte du personnel des remontées mécaniques.

Ils continuent à se manger l'un l'autre à la folie, passionnément. Car il faut rattraper le temps perdu. Tout de suite, maintenant. Sans attendre une minute de plus. Combler le vide qui s'est creusé au plus profond et refermer la plaie. Leurs bouches se précipitent et se dévorent devant les yeux ébahis de Jo, qui vient enfin de se relever. Il les observe, médusé, tourner autour du dernier pylône comme s'ils étaient dans un manège. Et leur carrosse repart dans les airs en sens inverse.

38

La photo de famille

Là, resserrez-vous !

Tous autour de Brigitte !

Jo ! Ne te cache pas derrière Matthieu, viens t'accroupir devant. Et relève ton bonnet, que je voie tes yeux !

Marie-Lou, mets-toi de profil et gonfle un peu le ventre. C'est pour le petit, pour que plus tard il puisse se dire qu'il était là, lui aussi.

Matthieu, je sais que tu as horreur de ça, mais arrête de faire la tronche. S'il te plaît, un petit effort ! Et tire un peu sur la laisse d'Écume pour qu'il cesse de remuer.

Helena et Patrick, mettez-vous à gauche de Brigitte, dans le coin des futurs grands-parents. Après le clic, je me glisserai près de vous.

Vous êtes parfaits !

Une seconde, que je décale le pied de l'appareil. Voilà, le mont Blanc est pile dans l'axe. Vite, avant que le nuage vienne couvrir le soleil.

Attention, c'est parti ! Souriez… *Cheeeeeeese !*

39

Les petites bulles

Deux mois plus tard

Chambre 58. C'est ici que Marie-Lou les sent pour la première fois. De petites bulles, si légères, presque imperceptibles. Elles viennent de remonter à la surface et d'éclore sous son nombril. Puis plus rien. Était-ce le fruit de son imagination ? Son esprit est en effervescence depuis quelques semaines, et maintenant c'est son corps qui s'y met.

Après avoir demandé la permission de s'asseoir sur le lit, la voilà qui guette d'un air béat le moindre mouvement. Sa patiente, Mme Morel, la regarde d'un air inquiet.

— Vous allez bien ?

Ne serait-ce pas plutôt à elle de lui poser cette question ?

— Oui... oui, très bien. Et vous ?

Elle n'a cependant pas rêvé. Ces petites bulles lui ont bien chatouillé le bas-ventre. Comme si elle criait famine. Et pourtant. Ne vient-elle pas d'ingurgiter un petit déjeuner gargantuesque ? Non, ce n'était pas une hallucination, et elle compte bien en avoir le cœur net.

Trois semaines que Mme Morel est à l'hôpital. Le service de neurologie, c'est sa deuxième maison. Elle le dit sur le ton de la plaisanterie. Son arme contre la maladie. Celle qui la confine dans son fauteuil roulant depuis plus de dix ans et dont elle ne prononce jamais le nom à rallonge parce qu'elle l'a trop entendu. Sclérose en plaques. Son corps est peut-être «sclérosé», rigide, mais son esprit est tout l'inverse. Il fuse, résiste, sourit à la vie et se projette dans le futur. Une vraie leçon de courage et d'humilité. Marie-Lou lui rend visite chaque matin, en dernier, parce qu'il lui faut du temps pour se préparer, mais aussi pour pouvoir bavarder plus longtemps.

Ce matin, sa patiente peine à redresser sa tête du fauteuil, ses traits semblent plus tirés que d'habitude sans qu'aucune grimace transparaisse.

— Votre jambe est douloureuse, ce matin ? l'interroge Marie-Lou.

— Oui, un peu. J'ai l'impression qu'elle pèse une tonne.

C'est aussi son impression lorsqu'elle essaie de la soulever sans parvenir à lui déplier le genou.

— Dès l'instant où mes enfants rentrent dans ma chambre, je n'ai plus mal, précise Mme Morel. Plus aucune décharge, plus aucun fourmillement. C'est possible, docteur ?

Marie-Lou se rassoit dans le creux du matelas. Les

gargouillis se précisent. Plus intenses que la première fois.

— Vous sous-entendez que les visites sont plus efficaces que les médicaments ?

Elle acquiesce d'une moue amusée.

— Je vous laisse en parler à mes filles, ajoute-t-elle de sa voix scandée dont l'amplitude varie à chaque mot.

Le ventre de Marie-Lou se transforme en véritable matelas à air. Une sensation exquise.

— Je vous fais rire, docteur ?

— Euh… non. Pourquoi ?

— Parce que vous avez le sourire aux lèvres depuis tout à l'heure.

— Désolée, je ne m'en rendais pas compte.

— Ne vous excusez pas. Votre bonheur est communicatif. Ça me réchauffe le cœur.

Ses yeux fixent sa blouse. Celle qui bâille légèrement entre deux pressions. Marie-Lou porte la main à son ventre, un peu gênée d'avoir été démasquée, lorsque son téléphone vient sonner au fond de sa poche. Pas le temps de prononcer un mot, sa voix rauque résonne déjà à son oreille :

— J'ai envie de le voir.

— Là ? Maintenant ? Désolée, j'ai un collègue au bout du fil, s'excuse-t-elle auprès de Mme Morel en se dirigeant vers la fenêtre. Vous lui avez déjà fait une écho la semaine dernière ?

— Oui, mais il me tournait le dos, alors je ne l'ai pas bien vu.

— Et que voulez-vous voir ?

— Son tubercule génital.

Marie-Lou lève les yeux au ciel. Elle pensait qu'il lui

parlerait de son visage, de l'angle de son nez, de ses oreilles ourlées. Pas de son entrejambe ! Un peu de poésie tout de même ! Son silence le pousse à continuer :

— Je crois que c'est une fille…

— Alors, pourquoi vérifier ? Vous espérez que ça pousse, c'est ça ?

— Pas du tout ! s'indigne-t-il. Je suis très content d'avoir une fille !

Elle sourit en l'entendant soupirer.

— Allez, viens… Abrège ta visite ! Je suis en train d'allumer la machine.

— Une urgence ? s'enquiert Mme Morel, d'un air moqueur.

Marie-Lou rougit.

— Presque, bredouille-t-elle, confuse. Presque…

Ses abdominaux se contractent à chaque passage de la sonde. Matthieu, lui, reste sérieux, les yeux rivés sur l'écran. Et c'est tout juste s'il ne tire pas la langue.

— Ah, voilà j'y suis… Le tubercule génital, j'avais raison ! se félicite-t-il en brandissant sa sonde d'un air victorieux.

— Moi, je n'ai rien vu… Juste des ombres qui bougeaient sur l'écran.

— Parce que c'est une fille ! Fais-moi confiance… J'ai emprunté des vidéos à la bibliothèque.

— Des vidéos d'échographie ? Passionnant, soupire Marie-Lou.

— Tu veux que j'appelle Marie pour trancher ?

— C'est ça. Invite tout l'internat pendant que tu y es.

Marie-Lou l'observe du coin de l'œil prendre son téléphone. Son empressement a quelque chose d'attendrissant. Elle préfère le voir investi, impatient, plutôt que le contraire. Mais quand même, va-t-il vouloir lui faire une écho toutes les semaines ? À ce rythme, elle va accoucher d'un bébé ultrasonique !

Marie surgit à travers la porte et vient rompre l'obscurité.

— Ce n'est pas bientôt fini, les cochonneries dans le noir ? crie-t-elle comme si elle voulait ameuter tout le service. Vous êtes impossibles, tous les deux !

Lorsque la présidente pousse Matthieu de son tabouret avec sa délicatesse habituelle, il ne riposte même pas. Au contraire, il s'en amuse et pose la main sur son épaule pour la remercier d'être venue si vite. Marie-Lou n'en revient pas. Est-ce l'histoire de la poubelle qui les a rapprochés ?

— Forcément, si tu utilises une sonde d'O.R.L., tu ne dois pas voir grand-chose, le nargue la gynécologue. Elle est trop superficielle. Là, tu as besoin de voir en profondeur.

— Est-ce une façon déguisée de dire que je suis grosse ? grogne l'intéressée.

— Ha ha ha, Marie-Lou ! Toujours aussi susceptible ! Le voilà, le joli bébé. Il a le profil de son papa, hein ? Le menton en galoche, le nez crochu, le front bosselé... Tout y est... *Le coup de coude de Matthieu la fait éclater de rire.* Tu disais que c'était une fille, c'est ça ?

Marie-Lou aimerait intervenir. Dire qu'elle est toujours là, elle aussi. Hou hou ! Elle retient sa respiration.

Ce moment est important pour elle. Si pour une fois, Marie pouvait faire preuve de tact et de douceur. Pour une fois.

— Eh bien, si je me place au bon endroit… Mais c'est qu'il fait des galipettes… ce p'tit gars !

— Quoi ?

Ils ont crié à l'unisson.

— Ça ne fait pas de doute… C'est bien un p'tit Madec, glousse Marie en tapant sur l'épaule de Matthieu. *Puis se tournant vers Marie-Lou, d'un air désolé :* Il va falloir que tu en supportes un deuxième comme ça ! *Avant de sortir de la pièce aussi vite qu'elle était entrée, contente de son effet.*

Face à face dans la pénombre.
Ils se regardent longuement.
Et jouent des sourcils.
Matthieu les fronce.
Pourquoi faire confiance à Marie ?
Rien ne prouve qu'elle ait raison cette fois-ci.
Marie-Lou les arque.
À quoi pense-t-il ?
Est-il contrarié que ce soit un garçon ?
Ils jouent des lèvres.
Le sourire attendri qu'elles dessinent la rassure.
Par quelle magie ce petit être grandit à l'intérieur
de son ventre ?
Il l'a lu dans les livres, mais là c'est différent.
Une partie de lui-même.
Un morceau du puzzle.
Marie-Lou les mordille en s'approchant doucement.
L'ours est si calme tout à coup.
Marie a-t-elle vu juste ?
Va-t-il lui ressembler ?
Un Matthieu miniature qui lui en fera voir de toutes
les couleurs ?
Et leurs yeux se plissent et s'embrasent.
Ensemble.
Comme s'ils pensaient la même chose.

REMERCIEMENTS

Chers lecteurs, vous qui m'accompagnez depuis *Les yeux couleur de pluie*, je tiens d'abord à vous remercier. Vos mails, vos messages sur les réseaux sociaux, vos touchants témoignages lors des séances de dédicaces m'encouragent à continuer. Ils me font réaliser aujourd'hui que je ne suis pas seule devant mon ordinateur. Vous êtes là, tout autour de l'écran et vous guidez mes doigts.

Merci à mes collègues qui, sans le vouloir, m'ont inspirée pour cette histoire. Je pense tout particulièrement au marabout mangeur de papier, au doc' baroudeur, au distributeur de Dragibus, à la belle Rasha aux fleurs d'orangers. L'imaginaire n'est parfois pas bien loin de la réalité. À Écume, parce qu'il ne faut pas l'oublier.

Et derrière mon épaule, je n'oublie pas Lina, mon éditrice, qui me rassure et me souffle ses conseils. Parfois, une phrase suffit à faire écho à mon histoire.

Merci à toute l'équipe d'Albin Michel pour leur confiance : Francis, Richard, Nathalie, Mickaël, Anne-Laure, Fabien, Sandrine, Laurent, Roland et tous les autres. À celle du Livre de Poche, dynamique et enthousiaste : Véronique, Audrey, Sylvie, Anne et Florence...

Un grand merci aux libraires qui m'ont toujours chaleureusement accueillie et soutenue.

À Katia, ma première correctrice.

À ma famille, mes amis, mes premiers lecteurs.

À ma tribu, mon navire. Mon clan aux yeux couleur de pluie. Pierrick, Milla, Axel et Arthur.

Chers lecteurs, une chose est sûre, je compte bien continuer à vous faire «battre la chamade»!

sophietalmen@yahoo.fr
https://www.facebook.com/pg/sophie.tal.men/posts/
@sophie_tal_men

Les Yeux couleur de pluie, 2016.
Entre mes doigts coule le sable, 2017.
Qui ne se plante pas ne pousse jamais, 2019.

Le Livre de Poche s'engage pour
l'environnement en réduisant
l'empreinte carbone de ses livres.
Celle de cet exemplaire est de :

200 g éq. CO₂
Rendez-vous sur
www.livredepoche-durable.fr

PAPIER À BASE DE
FIBRES CERTIFIÉES

Composition réalisée par MAURY-IMPRIMEUR

———————————

Achevé d'imprimer en France par
CPI BRODARD & TAUPIN (72200 La Flèche)
en avril 2019
N° d'impression : 3033602
Dépôt légal 1ʳᵉ publication : mai 2019
LIBRAIRIE GÉNÉRALE FRANÇAISE
21, rue du Montparnasse – 75298 Paris Cedex 06